男のコートの本

嶋﨑 隆一郎
Ryuichiro Shimazaki

文化出版局

CONTENTS

- 4　　はじめに
- 6　　details of the COAT
- 8　　トレンチコートのはなし
- 9　　no.1　トレンチコート (p.48)
- 12　　no.2　タイプライタークロスのトレンチコート (p.56)
- 14　　no.3　カジュアルトレンチ (p.57)
- 15　　no.4　ナイロンタフタのショートトレンチ (p.58)
- 18　　ピーコートのはなし
- 19　　no.5　ピーコート (p.61)
- 22　　no.6　ビンテージ風ピーコート (p.66)
- 23　　no.7　マリン風ピーコート (p.65)
- 26　　no.8　ミリタリー風ピーコート (p.68)
- 28　　ダッフルコートのはなし
- 29　　no.9　伝統的なダッフルコート (p.70)
- 31　　no.10　オフホワイトのダッフルコート (p.70)
- 32　　no.11　キャンバスのダッフルコート (p.75)
- 34　　ステンカラーコートのはなし
- 36　　no.12　正統派のステンカラーコート (p.76)
- 39　　no.13　古着風のステンカラーコート (p.76)
- 40　　生地のはなし
- 42　　ボタン、裏地、付属品のはなし
- 44　　HOW TO MAKE

はじめに

「コート」は欧米では「外側を覆う服」という意味の言葉で、広い意味ではジャケットやベストまで含まれる場合もあります。日本では寒さや雨風などから身を守る「外套」の意味合いが強く、冬になれば誰もがいちばん外側に着る防寒衣料。なおかついちばん目立つファッションアイテムとして重要な服だと思います。

僕は洋裁学校のときから「なんでトレンチコートはああいうデザインなんだろう？」とか、「ピーコートのピーってどういう意味なんだろう？」とか興味があって、自分がメンズ服をデザインするうえでもいろいろ調べたりしていくうちに、なるほどと思うことがたくさんあったのですね。メンズ服はコートだけでなくほとんどのものに意味や歴史があり、調べていくとそのものが持つ名前やデザインの意味がわかったりする。これがメンズ服のおもしろさなんだと僕は思うのです。皆さんもふだん何気なく聞き流しているような服の名前にも「何か意味があるのでは？」と常に疑問を持って、その名称の意味や由来、もともとの使用目的などを考えながら作ってみるのも楽しいのではないかと思います。

今回取り上げた「コート」は、コートの中でも誰もが一度は聞いたことがあるような名前のもの。最もベーシックで基本的な、「トレンチコート」「ピーコート」「ダッフルコート」「ステンカラーコート」を紹介しています。そして、この本では秋冬用のコートだけではなく、春物として着られるような軽い感じの作品も作ってみました。季節によって素材を置き換えたりして自分でアレンジしてみるのもいいでしょう。

details of the COAT

【エポーレット】Epaulet

肩飾りや肩当て、肩章のこと。ショルダーストラップともいう。兵士の肩を保護する当て布として生まれたものが装飾として発展。銃などのつりひもを肩で固定するためにボタンで取り外せるようになった。

【チンフラップ】Chin flap

あごや首もとを覆い隠せるように、衿や台衿につけられるタブのこと。雨風が衿もとから侵入するのをしっかり防ぐことが目的で、さまざまな形状のデザインがある。

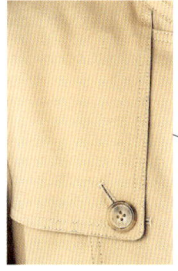

【ストームフラップ】Storm flap

前を閉じたときに上前をさらに覆い隠して激しい雨風の侵入を防ぐためのふた状の布のこと。理屈としては左右の肩につくものだが、紳士物の打合せが左上前という着方を重要視して、右肩だけにつくものが多い。

【ポケット】Pocket

コートのポケットは、もともと下に着ている上着のポケットに手を届かせるための切込みだった。それが手を温めたり物を入れるための用途に形が進化したもの。これは「箱ポケット」と呼ばれ、ポケット口は手が入れやすい角度になっている。

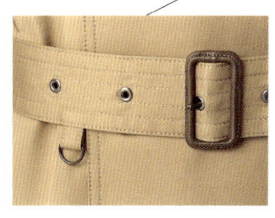

【ウエストベルト】Waist belt

分量のあるコートが風などでなびかないように、しっかりととめるためのベルト。もともとは腹部が冷えないように保護する役割がある。Dかんは手榴弾を引っかけるためにつけられていた。

【ボタン】Button

コートは厚い生地で仕立てることが多いため、つけられるボタンも大きめで頑丈なものが適している。だが、そのままぴったり本体につけてしまうと、かけにくい。ボタンと本体との間に生地の厚み分のすきまがあくように糸足を長くして、根もとを糸で巻いて補強した「根巻き」の方法でつけるといい。

【衿】 Collar

コートの衿は、雨風や寒さから保護するために大きめな形にしたり、外部の衝撃から頭や首を守るために立たせて着用できるようにデザインされたものが多い。地衿（裏衿）に多くステッチをかけてあるのは衿をしっかりと立たせるためのもので、コートの衿にはよく見られる。

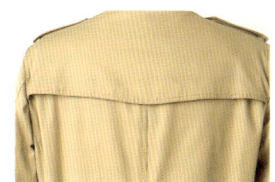

【バックヨーク】 Back yoke

背中の上部に重ねてつけたヨーク。これも激しい雨による浸水を防ぐためで、背中心に向かって少し斜めにカーブしているのは、雨が脇からヨークの端を伝って滴が落ちやすくしているもの。傘のようなものや先がもっと鋭角にカットされているものなど、さまざまな形状がある。

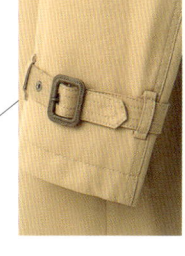

【カフストラップ】 Cuff strap

袖口からの雨や風の侵入を防ぐことが目的でつけられたベルトやタブのこと。ストームタブともいう（ストームは嵐の意）。さまざまなデザインがあり、これはベルトで締めるタイプのもの。

【ベルトループ】 Belt loop
【小ベルト】 Small belt

ベルトループは、ベルトを通すためのループ状のパーツ。小ベルトはコートにウエストベルトがつく場合、ベルトの裏側の後ろ中心あたりについている。ベルトがずれたり抜け落ちたりするのを防ぐためのもので、コートの背中心のベルトループに通してボタンでとめておく。

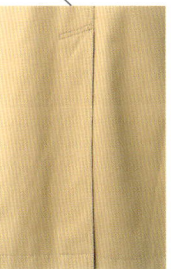

【ベンツ】 Vents

裾に配したあきのこと。背中心はセンターベンツ、脇側はサイドベンツと呼ばれ、主に動きを補助する目的で作られる。本格的なトレンチコートなどがインバーテッドプリーツ（裏側はボックスプリーツ）になっているのは、動きの補助以外に雨風の侵入防止や防塵を兼ねているからである。

トレンチコートのはなし

「トレンチコート」という名前は皆さんもきっと聞いたことがあって、男性ならすでに一着は持っているというベーシックなアイテムかもしれません。そして、テレビや映画の中で見る「トレンチコート」は、渋い感じの俳優さんが着こなすハードなイメージがあると思うのです。

ではこのコートの「トレンチ」という名前は何のことだと思われますか？「トレンチ(trench)」という言葉を調べてみると「塹壕（ざんごう）」という意味があります。塹壕という言葉自体あまり聞き慣れないものですが、戦争で兵士が敵の攻撃から身を守るために掘った溝や穴のこと。もともとトレンチコートは、第一次世界大戦のときにイギリス軍が採用した、戦闘用の防水コートが起源。寒く冷たい塹壕で、長期にわたる戦いを強いられていた中で考えられたデザインなのです。そのディテールは現在でもほぼ変わらず、「コートの中のコート」というほど完成されたものだと僕は思います。ちなみにトレンチコート本来の原型は、ラグラン袖だったと聞いたことがあります。それは負傷した兵士が包帯を巻いていても腕を通しやすかったという理由からとか。

今回僕がデザインしたトレンチコートは、現代的なセットインスリーブにしています。ボタンで取り外せるエポーレットに胸のストームフラップ、雨風の侵入を防ぐチンフラップなども、クラシックなディテールは残しつつ、シャープなイメージにアレンジしています。
トレンチコートはこの本の中でいちばんパーツの数が多く、仕立ても大変です。だからこそディテール一つ一つの意味を知り、このディテールはなぜ必要だったのだろうか？と考えながら作るのもいいんじゃないかなと思いますので、ぜひチャレンジしてみてください。
ちなみに「ラグラン袖」はクリミア戦争（1853〜'56年）のときにイギリスで活躍したラグラン将軍が考案したともいわれています。

トレンチコート

しっかりとしたコットンギャバジンで仕立てています。トレンチコートといえばカーキやベージュ系の色が多いのですが、それはもともと軍服だったため。カムフラージュカラーとして地域の土の色やまわりの環境に合った色の生地を使ったためとも考えられています。また本来の意味を考えるとギャバジンでも防水性がある織り目が詰まった生地が適しているのですが、目が詰まった綾織りの生地を扱うには注意が必要です。慣れないかたは無難な中肉の平織りの生地がおすすめです。仕立てがずいぶん楽にできます。
布地／オカダヤ　作り方 p.48

no.1

タイプライタークロスの
トレンチコート

極薄のタイプライタークロスという生地を使った、春先に着るスプリングコートです。とても薄い生地ですが、これを表地と裏地の両方に使って仕立てると意外としっかりできます。裏地も袋地もすべて共生地なので色合せに悩まなくてすみます。でき上がったコートを洗濯機で丸洗いし、洗いざらしてくしゃくしゃにねじって乾燥させているので、いい雰囲気にしわが出ています。僕はベーシックなトレンチコートよりも軽さがあり、ちょっと気が抜けた感じで格好いいんじゃないかと、とても気に入っています。
作り方 p.56

no.2

カジュアルトレンチ

着丈が長いとカジュアルシーンではちょっと着こなしが難しいのではと思い、思い切って着丈を短くしてデザインしてみました。トレンチコートの基本的なディテールはある程度残していますが、ベルトパーツをなくして、袖のカフストラップも縫込み式のタブにしています。生地もコード織りのような軽く表面に凹凸のあるものを使って、洗濯機で2、3回洗っています。洗うたびに縫い代のあたりが出てきて着込んだ感じの仕上りになります。
作り方p.57

no.3

no.4

**ナイロンタフタの
ショートトレンチ**

このショートトレンチは、ナイロンタフタで仕立ててみました。もともと防水や防風という理由でデザインされたトレンチコートなら、現代では合成繊維でもいいんじゃないかと思い、撥水性のある生地を選びました。合成繊維を使うとコットンで仕立てたときよりも表情が冷たいシャープな感じがして、モード感のある仕上がりになります。全身黒でまとめたコーディネートのときなどにはおると、とてもクールなイメージになると思います。
布地/オカダヤ 作り方p.58

ピーコートのはなし

ピーコートは秋冬シーズンに私たちが身近に感じる、最もカジュアルなコートです。もともとオランダの漁師や船乗りが防寒用コートとして着ていたもの。その後、海軍の制服として着用されるようになったのですが、「ピーコート」の「ピー(pea)」とはオランダ語の「ラシャ(pij)」という粗い目の厚手の毛織物を表わす語からという説が有力です。このコートの特徴は大きめの衿がついていることと打合せ。船上で風や波音で声が聞き取りづらいときにその衿を立てて聞き取りやすくするためと、寒さを防ぐため。そしてダブルの打合せは、風向きによって左右どちらにでも打合せを変えられるようになっていて、風の侵入を防いでいるのです。腰が隠れるくらいの短めの着丈は、船上で動きやすくした結果。また前身頃の縦に切り込んだポケットは、物を入れるというよりは手を暖めるというハンドウォーマーとしての機能が重要だったために、従来のポケット位置より少し高めについていました。

ピーコートは海軍のユニフォームとして着用されていたものなので、軍服の特徴として敵から身を守るために、まわりの環境に色を合わせた保護色が基本色となるわけです。海の上となると当然「ブルー」になり、しかも軍事作戦はまわりが暗い夜がほとんどでしたから「濃紺」。ピーコートに濃紺のものが圧倒的に多いのはそのためです。

今回デザインした4タイプのピーコートは、原型のピーコートを少しだけ現代風にアレンジして、日常でも普通に着られるようにしています。また、素材とデザイン、仕立てにも少しずつ変化をつけ、春にも着られるようにしました。ぜひ秋冬以外でも活用してもらえればと思います。

no.5

ピーコート

ピーコートはあくまで軍用なので、できるだけ目立たないほうがいい。でも、なんらかのトラブルで船上から海に落ちてしまったら——。逆に目立たなくて救出が困難じゃないか？と思い、僕はこのコートはあえて黄色の裏地を使って仕立てました。このアイディアが海軍で採用された記録はありませんが、実際にアメリカ空軍で採用されていたフライトジャケットに、オレンジ色の裏地が使われていました。これは救助を求める際に裏返して着ると発見率がアップするからだといわれています。モーターボートや水上スポーツで必ず着用するライフジャケットなども、水に落ちてもすぐに発見しやすいという理由から目立つ派手な色がついています。表地は厚手の綿キャンバスで、洗いをかけて仕立てました。
表地／オカダヤ　作り方p.61

ビンテージ風ピーコート

コットンヘリンボーンを硫化染料で染め上げたツイル地を使って、秋や春先に着るのにちょうどいい厚みを持ったコートです。この生地は水洗いすることで染料が落ちて古着風の風合いになるのが特徴で、いろいろな生地を扱っているお店で探すと見つかると思います。ピーコートの基本的な特徴はそのままに、トレンチコートにあったチンフラップとカフスストラップをつけ足し、ミリタリー風を強調しています。またポケットの口布部分にコットンのテープをたたきつけて補強の役割を持たせています。仕立てた後に洗濯機で二、三度洗っただけで表面が擦れて色落ちし、まるで何年も着込んだような風合いが出るので、どんどん洗ってみてください。雰囲気が抜群に格好よくなるのでおすすめです。
布地／オカダヤ（参考商品）　作り方 p.66

no.6

マリン風ピーコート

これは本物のラシャの素材感に近いウールメルトンを使って仕立てています。衿は基本の大きめではなく、現代的にシャープにカットしてモダンなイメージに。ボタンは水牛調の大きめのものをつけて手袋をしていてもとめ外しが容易なように、ハンドウォーマーポケットもより使いやすい角度と位置にしています。ピーコートのようなシンプルで完成されたデザインは、なかなか工夫できる部分は少ないのですが、今回裏地にコットンストライプのシャツ生地を横地に使ってボーダー柄にして、少しだけマリン風のファッション性を加えてみました。裏地はもっと派手なプリント柄を使ってもおもしろいと思います。一見男っぽいコートですが、裏側でおしゃれを表現することが男の服として粋じゃないかなと思います。

裏地／オカダヤ　作り方 p.65

no.7

ミリタリー風ピーコート

このコートはテープを使ってトリミングするという、かなり大胆なアレンジをしたものです。こうするとなにか士官風の感じになりませんか? 実際のピーコートにはこういったアレンジはないのですが、こういうテープでトリミングを加えていくとミリタリー風になるので今回使ってみました。ボタンも市販されているメダルボタンそのままだとピカピカ光っていてなにか新品っぽい。金属のめっきを落とす特殊な薬剤があるので、それにつけ込んで金色の光沢を若干落としてあります。素材は綿麻のキャンバス地で裏地はつけず一重仕立てに。その後水洗いをして洗いざらしています。きれいなままでもいいかもしれませんが、制服のような感じになってしまうので、洗いをかけてカジュアルに仕上げたほうが雰囲気はいいと思います

作り方 p.68

no.8

ダッフルコートのはなし

外観的に特徴のあるダッフルコートは、誰もが目にしたことのあるデザインでは。もともと北欧の漁師たちが着ていた防寒の作業用コートが原型ともいわれています。頭からすっぽりとかぶれる大きめのフード、フロントについたロープ状のひも、それに引っかけるようにしてとめるトグルと呼ばれる木のボタン、肩にのせるようにしてたたきつけられたオーバーヨークがダッフルコートの基本形です。また「ダッフル」はベルギーのアントワープ市に近い町の名前で、その地域で織られていた紡毛のフェルトタイプの厚い生地を使って作ったコートが風を通さず防寒性に優れていたために、その織物の産地の「ダッフル」という地名がそのままついたという説があります。

これらのディテールこそ苛酷な環境で働く人たちのアイディアがたくさん詰まっているといえます。さらに一重仕立てで作られているのは、ただでさえ分厚いウール地が使われているので少しでも軽量化を考えたのではないかと思います。あくまでも作業用のオーバーコートなのです。また、大きいフードは帽子をかぶっていてもすっぽりと頭部を覆い隠せるのでとても温かい。そしてフロントのひもと木のボタンなら、凍えた手でも分厚い手袋をしていても容易にかけ外しができるのです。この木のボタンはもともと漁師が使っていた「浮き」を再利用したといわれています。オーバーヨークは肩の縫い目から水がしみ込まないように二重にたたきつけられ、ロープなどを担ぐときにも補強として役立っていたようです。こういう伝統的な特徴あるものを調べていくと、必ずデザインには理由があるんだなと思ってしまいます。

僕もデザインする際にはいつも、そのアイテムの歴史や由来などを研究しています。するとメンズの服はコートにかぎらず、最初に生み出した先人たちのアイディアは単純な見た目の格好よさだけではなく、生きるか死ぬかという観点で作られているものが多いのです。そういう服は当時のまま、ほとんど形を変えずに現代まで残っているものなんだなぁと感心してしまいます。

伝統的なダッフルコート

伝統的なダッフルコートの基本色であるキャメル色の布で仕立てています。ダッフルコートはイギリス海軍でも正式採用されたミリタリーユニフォーム。海軍なのに海をイメージさせるネイビーではなく、このようなキャメル色での採用はとても珍しい。またこの色のコートは北アフリカの砂漠で活動していたイギリスの特殊部隊でも採用されたということで、そちらのほうが砂漠の砂のカムフラージュカラーとして納得がいきます。海軍で使用したのは艦内用の貸与制服だったということなので、色はそれほど問題ではなかったのかもしれませんね。
作り方 p.70

no.9

no.10

オフホワイトのダッフルコート

左ページのno.9と全く同じパターンで同じメルトン素材のオフホワイトの生地を使い仕立てています。ダッフルコートのもともとの基本色の中にこのようなオフホワイトもあったということで、現在でもよく見られるカラーリングです。男性だけではなく女性でも似合いそうな色だと思います。SやMサイズのパターンで作ったものは女性が着てもかわいいのでは。肩まわりや袖が太めですが、たっぷりとカジュアルな感じに着こなせそうです。
作り方p.70

キャンバスのダッフルコート

質実剛健という言葉がぴったりな、頑丈で防水性がある、パラフィンクロスというキャンバス生地で仕立てています。バッグなどを作るときに使う資材用のかたい布ですが、着れば着るほどなれて味わいが出る生地です。「防水キャンバス」という名称で市販されています。この生地を縫うには、ミシン糸もミシン針も太いものを使わないと生地に負けてしまうほど。僕らが使う職業用ミシンのパワーがなければ容易には縫えません。家庭用の場合は少し薄手のキャンバス生地を選ぶといいでしょう。縫い代の始末はあえて白を配色に、モダンな感じに仕上げています。
布地／オカダヤ　作り方p.75

このコートのボタンは伝統的な「浮き」のトグルもフロントのロープも使っていません。代りにメタルボタンと、15mmほどの幅に織られた少ししっかりとした綿の綾竹テープと呼ばれる資材を使っています。メタルボタンは金色できらきらしていた市販のものを、エナメル塗料で真っ黒に塗りつぶしてあります。模型関係の店や東急ハンズなどにはマニキュアのように簡単に塗れるタイプのものもあるので、便利だと思います。綾竹テープは端をコバミシンで前端までしっかりとステッチでとめ、シャープな感じにデザインしました。

ステンカラーコートのはなし

ステンカラーと呼ばれる衿、ラグランスリーブと比翼仕立ての打合せ、ひざ丈の、とてもシンプルなベーシックコートです。ステンカラーというのは和製英語。正しくは「スタンドフォールカラー」といい、「スタンド」がなまって「ステン」になったともいわれています。このコートは本来「バルマカーンコート」と呼ばれていて、このコートの原型が作られたスコットランドの地名にちなんでいるのだそうです。外国ではステンカラーコートではなく「バルマカーンコート」と言ったほうが通じるでしょう。
こういう余計なディテールがないシンプルなコートはビジネス向けでもあり、スーツの上にさっとはおる感じで着るのが格好いいと思います。

今回作ったのは2種類。一つはウールビーバーという毛並みが少しあるクラシックなウール地のもので、スーツの上に着るといかにも紳士という感じに見えるもの。もう一つはそれの対極にあるような綿の硫化染めのツイル地で、仕立てた後に洗濯をして刑事ドラマで着ていそうな感じの古着風なよれよれのタイプを仕立ててみました。全く同じ型紙を使っていますが、使用する生地や最終の仕上げ方で見え方が全く違うというのもおもしろいでしょう。

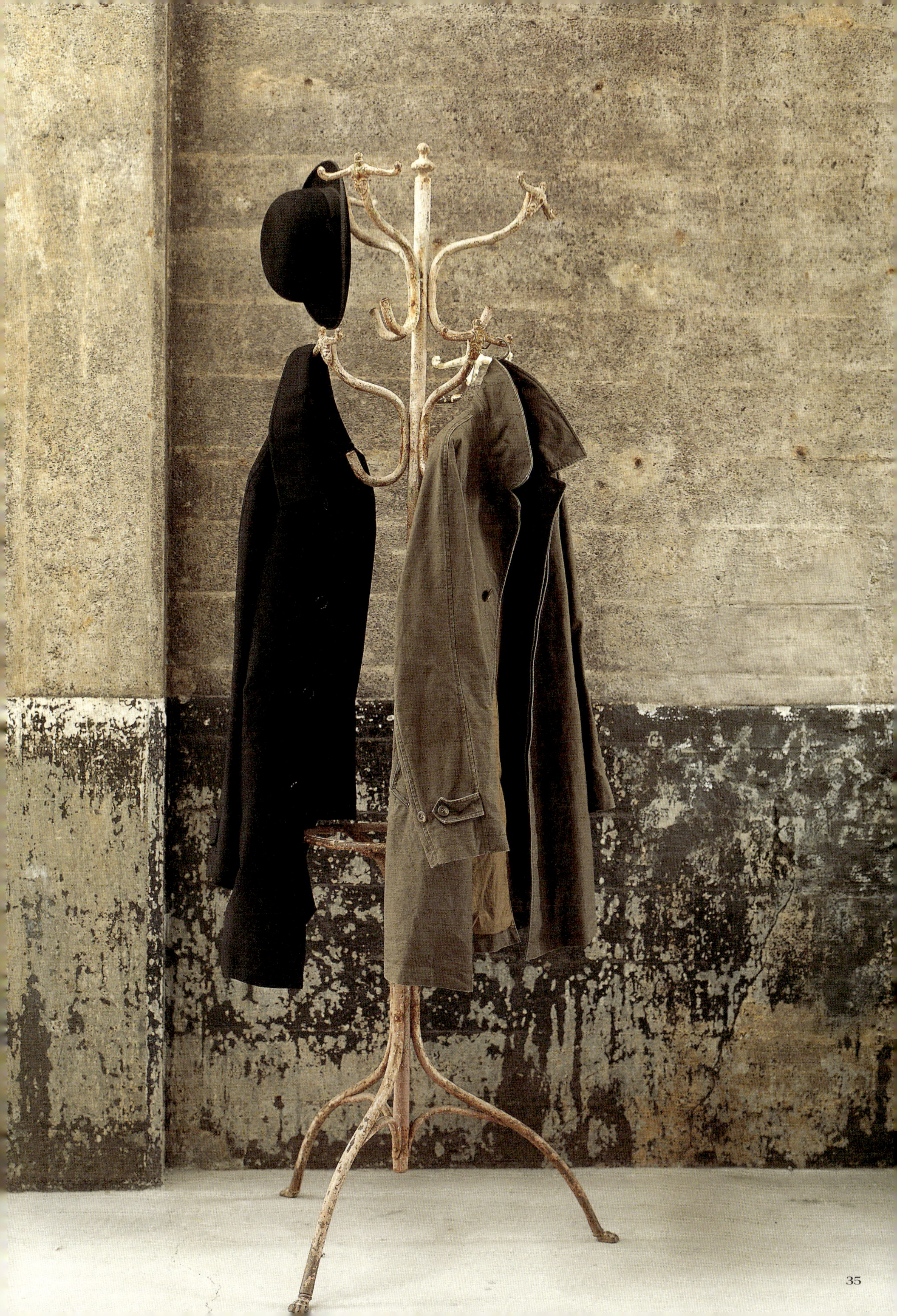

正統派のステンカラーコート

正統派のステンカラーコートは、シンプルな外観だからこそパターンのよさが際立ちます。このコートの袖はラグランスリーブで、着やすさと美しいシルエットが出るよう3枚のパターンで構成しています。それでもコートの中では1着分のパーツが少ないので、比較的楽に作れます。ただその分、仕立てが目立ってしまいますから、丁寧に縫い進めてください。特に前端や背中心など、長い距離にミシンをかけるときは、縫い目がまっすぐつれないように気をつけましょう。濃紺の上質なウールビーバーを使って、よりクラシックな雰囲気にしています。
作り方 p.76

no. 12

「コートは肩で着るものではなく、首で着る」とも言われています。人によって体型の違いなどでも差があるのですが、はおったときに肩に重さを感じるものは、着ているうちにストレスを感じるようになって、とても疲れやすいからです。はおったときに首の後ろ部分で全体を支えていると感じられるものが、体に合っているといえるでしょう。

硫化染料で染めた生地は、洗うと擦れて色が落ちていきます。この
コートも2、3回の洗濯で、いい感じのあたりが出て古着風の味わ
いが得られます。こういう生地で仕立てたときは、洗って脱水した
らそのままハンガーで乾かしてノーアイロンで着たいですね。

no. 13

古着風のステンカラーコート

ステンカラーは衿を立てて着ることもあるので、衿は特にしっかりと作りたいものです。衿に芯を張っただけではまだ頼りないので、地衿にはちょっと太めの糸でジグザグにステッチをかけてしっかりさせます。これだけのことですが芯を張っただけのときと比べると張りが増し、仕立て上がりがきれいになるので、忘れずにステッチをかけてください。布地／オカダヤ（参考商品）　作り方 p.76

生地のはなし

コート＝外套、ということを考えると、コートに使う生地は寒さとか雨、風などの自然環境から身を守るようなものが適しています。たとえば防水、撥水といった加工が施されたもの、肉厚で外気を遮断するような厚い織物とかが基本的には向いています。僕は職業用のミシンで縫いましたが、あまり厚すぎると家庭用のミシンでは縫えない場合があるので気をつけてください。

今回使用した生地は、ウールの肉厚のものから合成繊維の極薄のものまで、さまざまです。そうすることで、秋冬シーズン以外でも対応できるようなコートを仕立ててみてはいかがでしょう。

【ギャバジン】Gabardine

もともとは英国バーバリー社の商標だが、早くから一般名称として定着した綾織物。綾の角度が45度以上に織られ、とても目が詰んでいるのが特徴。綿や化合繊、毛などさまざまな原料で織られた基本的な布地。

【タイプライタークロス】Typewriter cloth

70番～120番の極細番手の綿糸で緻密に平織りにした綿織物。織り目が細かいため、ダウンや中綿を入れた衣服の表地や裏地に適している。タイプライターの印字用リボンに使用されるため、こう呼ばれる。

【コード織り】Cordlane

縦方向にコードを織り込み、極細の畝が出るように目を詰まらせた織物。表面の細かいコード状の表情がスポーティでカジュアルな雰囲気をかもし出す。また、丈夫なため、軍服や制服に使われる生地。

【タフタ】Taffeta

ごく細い横畝のある絹またはナイロン、ポリエステルなどの化合繊の平織り薄織物。化合繊のものは撥水加工を施してレインコート地に使用される。語源は「紡ぐ」を意味するペルシア語のTaftah、Taftan。

【キャンバス】Canvas

帆布、ダックともいわれ、主にバッグなどに使われる太い綿または亜麻糸を密に織った平織物。厚さを表わす規定があり、1号〜11号（数字が小さいほど厚い）で表記している。今回使用したものは8号の厚さ。

【ヘリンボーン】Herringbone

織り上げた生地の表面がニシン（herring）の骨（bone）のように見えることからこの名がついた。日本では杉綾の模様と織り目の両方をさしている。綿や毛織物でも多く織られ、さまざまな服地に使用される。

【メルトン】Melton

太い紡毛糸を使い、平織り、または綾織りにして縮絨し、織り目を詰まらせた後に表面をけば立たせた冬物の代表的な毛織物。語源はイギリスの町の名という説と、創製者のハロー・メルトン氏にちなんで、という説がある。

【ビーバー】Beaver cloth

紡毛糸で織った後に縮絨をかけ、表面をブラッシング加工でけば立たせた後に、けばを縦方向にねかせて毛並みをつけたもの。表面をビーバーの毛皮に似せたところからこの名がついた。冬の代表的なコート地。

【パラフィンクロス】Paraffin cloth

防水剤としてパラフィンを塗布して防水性を高めた布地。水ははじくが風合いが気温によって左右されるために衣料用としてはあまり適さない。主に資材やかばん用に使われる。

【硫化染め】Sulphur dyes

硫化染めアミノフェノールなどを硫黄、または硫黄と硫化ナトリウムなどで加熱、溶解して作られる化学染料を利用して染める方法。この加工を施した生地は洗濯すると色落ちし、ビンテージ風な風合いになる。

ボタン、裏地、付属品のはなし

僕自身、女物も男物も両方デザインして作るのですが、女物よりも男物の服のほうが圧倒的に使う付属品が多いのです。それは女物の服はまずシルエットやバランス感が重視され、パターンのラインとかシルエットが美しく表現できるような布の選び方にすごく気をつかいます。これに対して、男物の服はさらにパーツのディテールはもちろん、芯やテープ類、裏地など仕立てる際の表からは見えない部分にも気をつかうことが重要だという感じがします。特にクラシックなデザインをするときなどは、さまざまな資料を集め、時代考証して作ります。機能性のあるデザインのときはいかに便利にするかが重要となるので、着る場面を想像して、ちょっとした細かな付属品にも気をつかってデザインします。

コートは他のアイテムより多くのディテールがあるので、どうしても特徴のある付属品が多くつきます。それはもともとミリタリーやワークウェアが原型だったので、そういう機能として必要だったからなのでしょう。

この本には女物の服を仕立てるときにはあまり使わないような付属品もありますが、男物の服の場合は細かなパーツひとつにも意味があって、なくてはならないものばかりです。裏地の使い方にもこだわっていますから、仕立てる際の参考としてみてください。

＞ボタン

【水牛ボタン】
水牛の角を削って作られているもの。ホーンボタンとも言い、高級なボタンの部類に入る。落ち着いた重厚感があるので、コートやスーツなどウール素材との相性がいい。

【メタルボタン】
金属で作られたボタンの総称。表面にめっきしたり、彫刻したり、鋳型に流し込んで紋章やシンボルなどの模様をつけたりする。写真のボタンのめっきを落としてno.8に使っている。

【トグル】
もともとは漁師が魚釣りの浮きを再利用したものといわれている。主にダッフルコートの前合せをとめるパーツとして使われる棒状の木製や水牛の角で作った変わった形をしたボタン。

【プラスチックボタン】
ポリエステル樹脂で作ったボタンで、耐久性もあり軽い。比較的安価で、さまざまな模様づけなどの加工もできるので、デザインに凝った特徴のあるものが多い。

【力ボタン】
表ボタンの裏側につける小型のボタン。二つ穴か四つ穴で布と同色のプラスチック製や貝ボタンを用いる。ボタンつけ部分の布の補強と、裏の仕上げの美しさを兼ねる。

>裏地

【キュプラ裏地】
レーヨンより破れにくく摩擦にも強い、耐久性を向上させた再生繊維でできている。すべりがよく静電気の発生が少ないなどの機能性から、裏地として多用される。

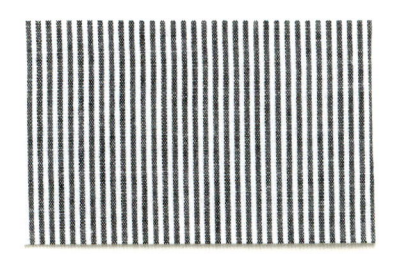

【綿裏地】
製品の洗い加工をすると、キュプラ裏地だと破れや縮むことがある。そのため極薄の綿を裏地として使う。主にタイプライタークロス、綿サテン、綿ブロードなどを用いる。

【袖裏地】
袖は身頃より動きが多いため、すべりのいいサテン組織のものやキュプラが多く使われる。中には袖口からちらりと見せるおしゃれのために縞柄のものも多くある。

【スレキ】
光沢のあるなめらかな綾織物。シレジアとも言うが、現在ではメンズ衣料の袋布などに使い、スレキやスレーキと呼ぶ。語源は英語のsleek（なめらかな、つやのある）の説がある。

>付属品

【Dかん】
文字どおり英字のDの字形をした金属のパーツ。直線側をテープやベルトで縫いとめて曲線側に物をつるしたりする。ここではno.1とno.2のトレンチコートに使っている。

【バックル】
とめ具の一種。ベルト状のものをとめたり締めたりするのに使用する金属パーツのこと。写真はno.1とno.2のトレンチコートに使ったピンつきで皮巻きのもの。

【麻ひもとテープ】
トグルボタンを引っかけるのに使った丈夫で耐久性がある麻ひも（上）。コード織り（中）やグログラン（下）などさまざまな種類があるテープは、装飾や補強などに使用。

サイズの表示について

紳士衣料品のサイズは日本工業規格の「成人男子用衣料のサイズ」によって細かく体型区分（表1）されています。この体型区分はウエストとチェストの寸法差で分類され、さらに身長で細かく分かれたものが「サイズの種類」として表示されています。この規格によるサイズ表示は、主に紳士スーツに用いられていますが、それ以外はS、M、Lのようなわかりやすい表示が一般的です。しかし既製服のサイズ表示は各洋服メーカーによって基準がまちまちで、いつもMサイズのものを着ていてもメーカーやブランドが変わると合わない、というようなことがあるのはこのためです。

この本では日本工業規格の「成人男子用衣料のサイズ」の体型区分の中でも最も一般的なA体型を標準として型紙を作成しています。付録についている実物大パターンは、さらにS、M、L、XLの4サイズにグレーディングしています。採寸のしかたを参考にしてまずヌード寸法をはかり、その寸法をもとに下記のサイズ表（表2）の中から使用するパターンサイズを選んでください。

HOW TO MAKE

1

体型区分
（単位はcm）

体型	チェストとウエストの寸法の差
J	20
JY	18
Y	16
YA	14
A	12
AB	10
B	8
BB	6
BE	4
E	0

2

コートのサイズ表
（単位はcm）

	サイズ 名称	S	M	L	XL
ヌード寸法	身長	155-160	160-170	170-180	180-190
	胸回り	86-92	90-96	94-100	98-102
	ウエスト	74-80	78-84	82-88	86-90
	ゆき丈	80	83	86	89

採寸のしかた

シャツや薄手のセーターを着用して、自然な姿勢で立った状態ではかります。

1：身長
はだしの状態で垂直な壁や柱などの近くに直立し、この状態で頭頂部に三角定規などを当てて印をつけます。床から印までの寸法。

2：チェスト寸法
チェスト（胸回り）は、両脇の腕のつけ根の下をぐるりと一周した寸法。その際にメジャーが水平になるように注意しましょう。

3：ウエスト寸法
ウエスト（胴回り）は、へそを基準として水平に胴回りを一周するようにはかります。

4：ゆき丈
まず、おじぎをした状態で首の後ろ中央の出っ張った骨が基準点（バックネックポイントBNP）になります。その背中心から肩先のいちばん出ている骨（ショルダーポイントSP）を通って親指のつけ根まではかります。

採寸値と選んだパターンサイズについて

コートの場合は重ね着をしていちばん外側にくるものです。シャツや下着のような肌に直接着用するものではないので、細かい寸法はさほど気にしなくても大丈夫です。またこの本のコートは基本的にはカジュアルなものです。下にセーターを着るくらいがいちばん美しくなるようなシルエットでデザインしていますが、ビジネス用などでジャケットの上に着るような場合はジャケットのシルエットも関係してきます。ゆとりの多いオーバーサイズのジャケットの上から着ると、アームホールで少し引っかかる感じがするかもしれません。一度ジャケットを着た状態でトワルなどで仮縫いすることをおすすめします。きつく感じるかたはワンサイズ大きいパターンを選んだほうがいい場合もあります。

また、サイズ選びに迷ってしまう場合も幅の寸法を満たしたサイズを選び、トワルなどで仮縫いをしてみて着丈や袖丈などを調節するといいでしょう。

チェストや肩幅などの寸法をパターン上で加減するのは難しいので、やめておいたほうが無難ですね。

※着丈と袖丈の調節のしかたは、83ページを参照してください。

また、コートのデザインによりゆとりの寸法が違います。それぞれのヌード寸法と付録の実物大パターンにあるパターンのでき上りの寸法もあわせて参考にしてください。

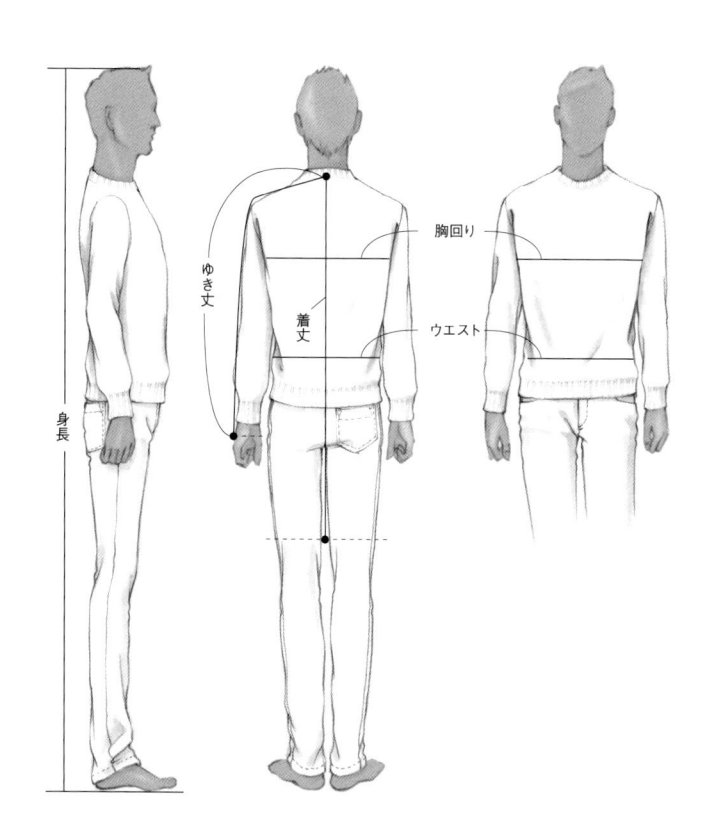

作品の作り方と
実物大パターンの使い方

ここで紹介した作品の作り方を48～83ページで解説しています。
各デザインのパターンは、付録の2枚の実物大パターンの中に入っています。一部ベルト通しなどの細かなパターンは省いているので、裁合せ図の中に表示した寸法をもとに、じか裁ちしてください。また、裏布のパターンはありません。表布のパターンをもとに裁合せ図の中に表示した寸法を操作してから裁断します。不安なかたは裏布のパターンを別に作っておくと正確に裁断できます。

トレンチコートno.1～no.4はA面、ピーコートno.5～no.8はB面、ダッフルコートno.9～no.11はC面、ステンカラーコートno.12、no.13はD面にあります。紙面の都合で重ねて配置していますので、ハトロン紙に写し取ってから使ってください。
間違えないように、まず必要なパターンの使用するサイズの線をラインマーカーなどでしるしておくと写し取る作業が楽になります。

準備

1：地直し

木綿や毛、アクリルが混紡された布地は、スチームアイロンの蒸気や、洗濯などで水分を与えると縮んでしまうことがあります。また、布地自体がゆがんでいる場合がありますから、裁断する前に地直しをしておきます。まず、よこ糸を抜いて裁ち端をまっすぐにカットします。木綿は洗濯機で水洗いをし、軽く脱水してから陰干しし、生乾きのうちにアイロンをかけます。ウールは全体にスチームアイロンをかけて、よこ糸とたて糸が直角に交わるように布目を整えます。広幅のウールでコート一着分の用尺の地直しをするのはけっこう大変です。その場合は店先でアイロン仕上げをしているクリーニング店に地直しをお願いしてもいいでしょう。ナイロンなどは中温のドライアイロンで軽くたたみじわを取る程度に。

2：裁断

裁合せ図のように布を広げ、大きいパターンから配置します。重しやまち針でパターンを押さえ、縫い代の縁にそって布をカットします。ウールなど厚みがある布地を、2枚重ねてはさみでカットすると、裁ち端がずれることがあります。そんなときは、面倒でも1枚ずつカットしたほうが正確に裁断できます。

3：芯張り

衿、見返しなどのしっかりさせたい部分には接着芯を張ります。さらに伸止めや補強のために接着テープを張っています。どちらも張るパーツと位置は裁合せ図に指示しています。接着芯は接着剤がついた面を布の裏面と合わせ、ハトロン紙や当て布をした上からアイロンをかけます。このときアイロンはすべらせないで押さえるようにして接着してください（写真1）。芯を張った直後の熱がこもった状態の布地は動かしてはいけません。布が伸びたり、くせがついてしまうので、アイロンの熱が取れるまで動かさないように注意しましょう。

伸止めに張る接着テープは、肩線などの直線の場合は縫い線に2～3mmかけて張ります（写真2）。袖ぐりなどのカーブになった部分に張る場合は、まずつけ位置の寸法が長くなる外回りに軽く張り、次に浮いた接着テープをアイロンでつぶすようにして張ります（写真3、4）。

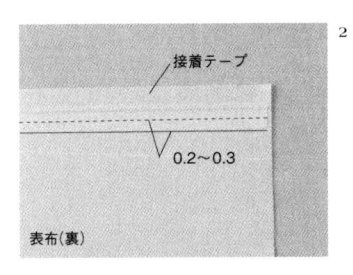

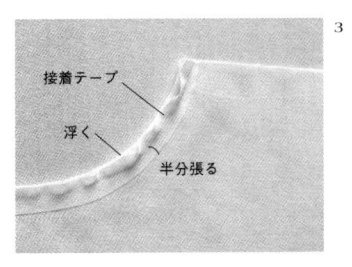

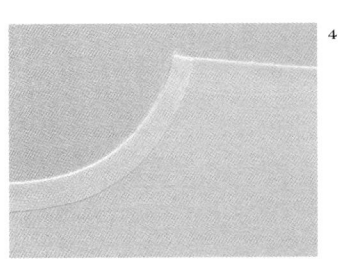

4：印つけ

基本的に印つけはしません。縫合せのときにはステッチ定規を使い、布の裁ち端から針目までの距離を縫い代幅に合わせてミシンをかけます。ポケットつけ位置など、パターンの中央の印つけにはチョークペーパーや切りじつけをします。

5：アイロン

工程中のアイロンは、基本的に縫い目は必ずアイロンで押さえます（写真1）。その後、縫い目を割る、片返すなどのアイロンをかけます。このひと手間で縫い目線の縮みやよれをカバーでき、仕立て上りがきれいになります。立体に縫い上げた後の仕上げアイロンは、表側からかけることになり、当て布をしていても縫い代や袋布などのアイロンのあたりが出てしまうことがあります。なるべく平面の状態でしっかりアイロンをかけておくほうがきれいに仕上がります。また、厚みのある布地は、縫い代の部分のみアイロンをかけて薄くつぶしておくと（写真2、3）、すっきり仕上がります。縫い代を割る場合は水分を与え、縫い目線だけにアイロンをかけるようにします（写真4、5）。こうすると表側に縫い代のあたりが出るのを防げます。

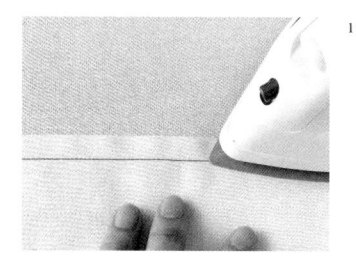

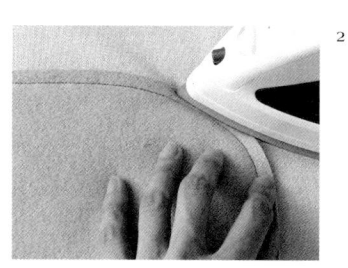

no.1 トレンチコート >page9

◆使用パターン（A面）前・後ろ・脇・前見返し・外袖・内袖・表衿・裏衿・台衿・ストームフラップ・バックヨーク・口布・当て布・袋布A・袋布B・チンウォーマー・肩章・カフストラップ・ベルト・小ベルト

◆本縫い順序

1 ダーツを縫う
2 前身頃と脇身頃を縫い合わせる
3 箱ポケットを作る
4 後ろ中心を縫い、ベンツを作る
5 ストームフラップを縫ってつける
6 バックヨークを縫ってつける
7 後ろ切替え線、肩を縫う
8 ベルト通し、ループを作る
9 袖を作る
10 袖をつける
11 ベルト通し、肩章通しをつける
12 裏布を縫い合わせる
13 前端、袖口を縫う
14 前端、袖口、裾を整える
15 衿を作る
16 衿をつける
17 付属のパーツを作る
18 仕上げ

使用量
- 表布 =110cm幅
  （S、M）3m80cm、（L、XL）4m20cm
- 裏布 =90cm幅
  （S、M）2m70cm、（L、XL）3m
- 接着芯 =90cm幅
  （S、M）1m40cm、（L、XL）1m60cm
- スレキ =105cm幅 40cm
- ボタンの大きさ =2.3cm9個（前あき）、3個（内ボタン）、2.0cm2個（肩章）、1.8cm2個（ベルト・裏衿）
- はと目かん =0.5cm14個
- Dかん =1.5cm幅5個
- ピンつきバックル =5cm幅1個（ベルト）、2.8cm幅3個（カフストラップ、チンウォーマーのベルト）

作り方ポイント
ストームフラップは右前側につけます。裁断するときは、左右を間違えないよう注意しましょう。またチンウォーマーのベルト、ループ、ベルト通し、肩章通し、ベルト用のタブとベルト通しはじか裁ちしてください。

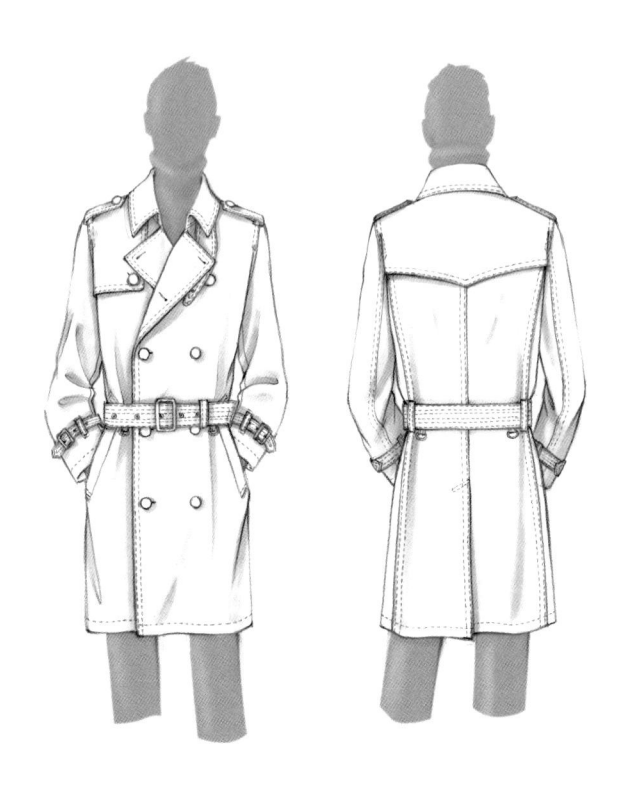

1 ダーツを縫う

2 前身頃と脇身頃を縫い合わせる

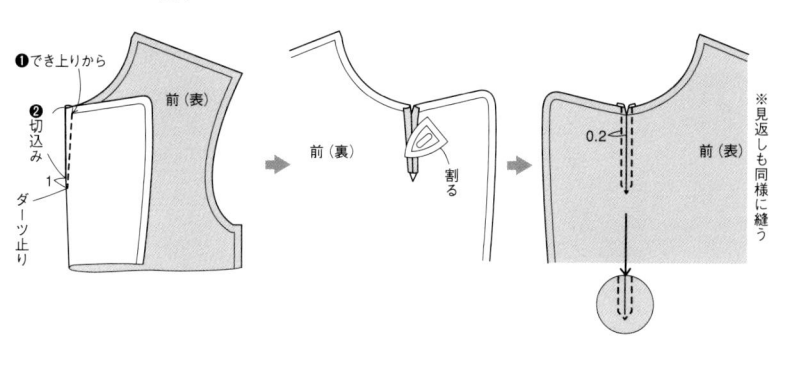

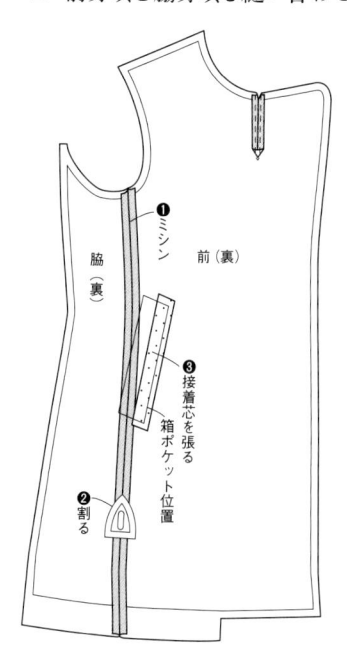

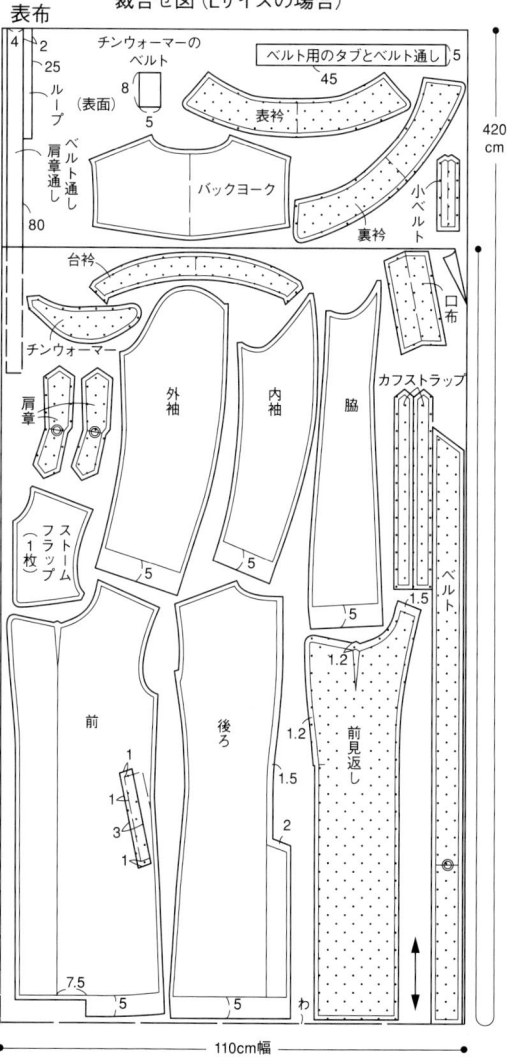

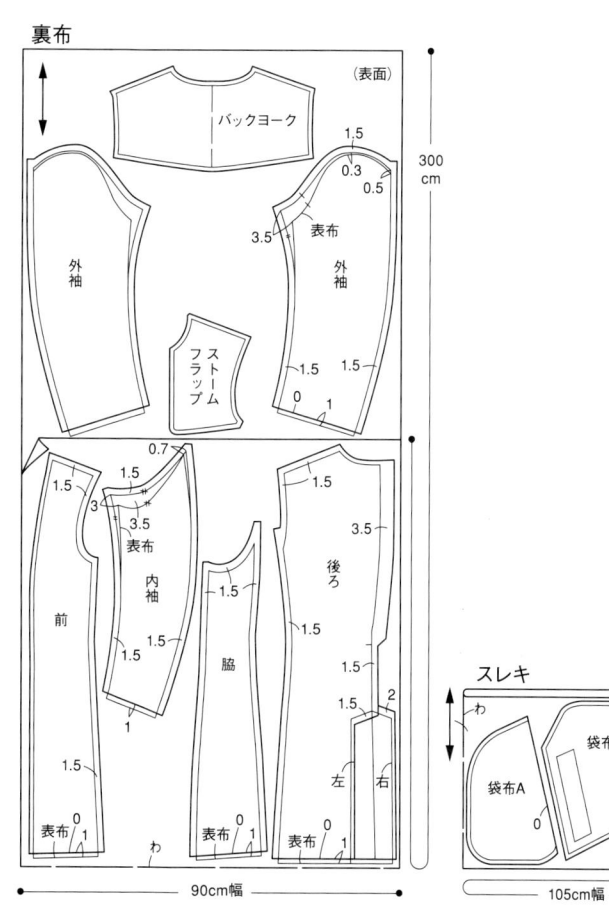

裁合せ図（Lサイズの場合）

表布 110cm幅 420cm

裏布 90cm幅 300cm

スレキ 105cm幅 40cm

※指定以外の縫い代は1cm
※　　は接着芯

3 箱ポケットを作る

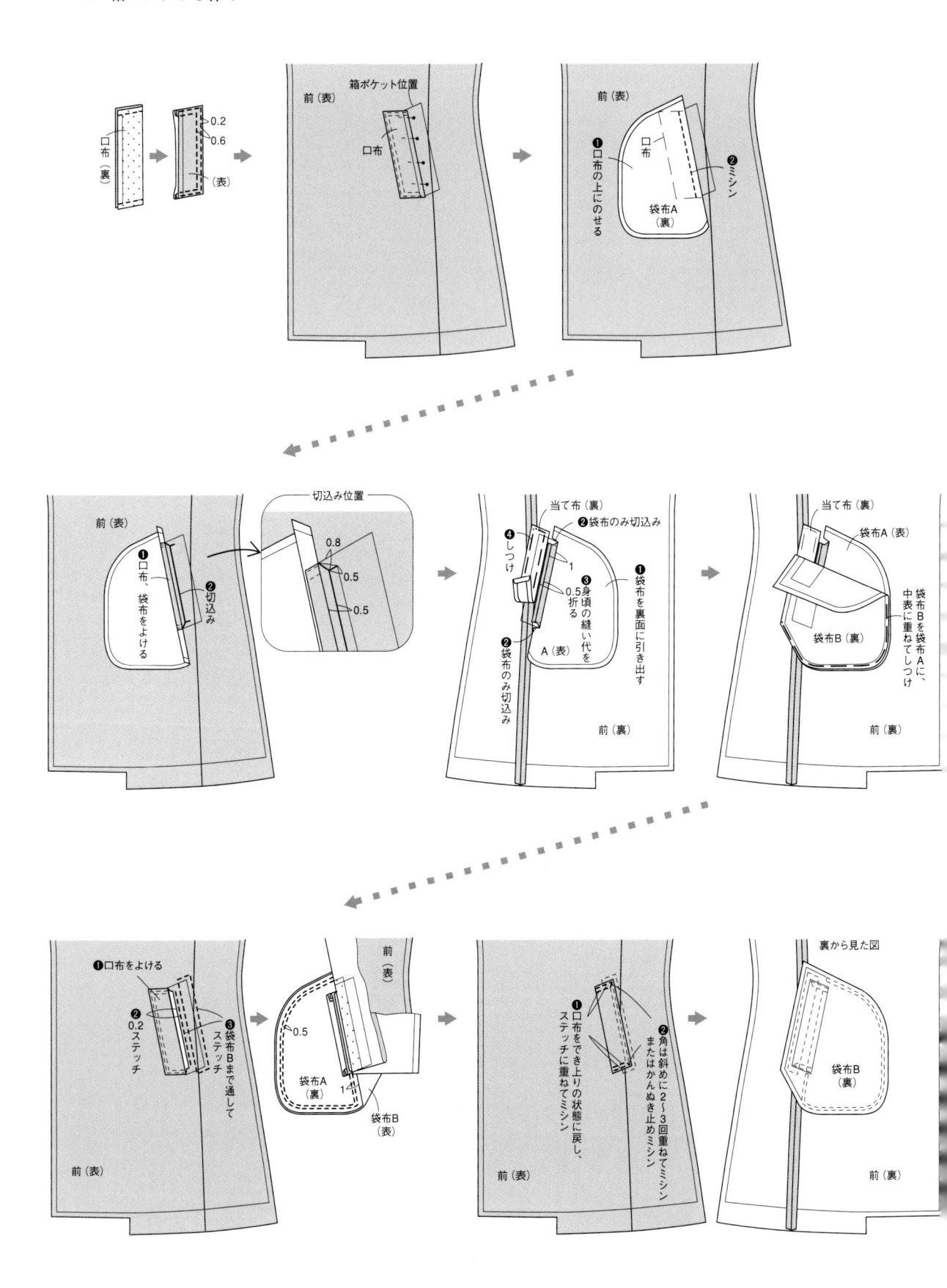

口布（裏） → 0.2 / 0.6 （表）

前（表） 箱ポケット位置 口布

前（表） ❶口布の上にのせる 口布 袋布A（裏） ❷ミシン

前（表） ❶口布、袋布をよける ❷切込み

切込み位置 0.8 / 0.5 / 0.5

当て布（裏） ❷袋布のみ切込み ❹しつけ 1 ❸身頃の縫い代を0.5折る A（表） ❶袋布を裏面に引き出す ❷袋布のみ切込み 前（裏）

当て布（裏） 袋布A（表） 袋布Bを袋布Aに、中表に重ねてしつけ 袋布B（裏） 前（裏）

❶口布をよける ❷0.2ステッチ ❸袋布Bまで通してステッチ 前（表）

0.5 袋布A（裏） 1 袋布B（表） 前（表）

❶口布をでき上りの状態に戻し、ステッチに重ねてミシン ❷角は斜めに2〜3回重ねてかんぬき止めミシン 前（表）

裏から見た図 袋布B（裏） 前（裏）

4 後ろ中心を縫い、ベンツを作る

左後ろ（裏）
ベンツ止り
表右後ろ（表）
7
左のみカット

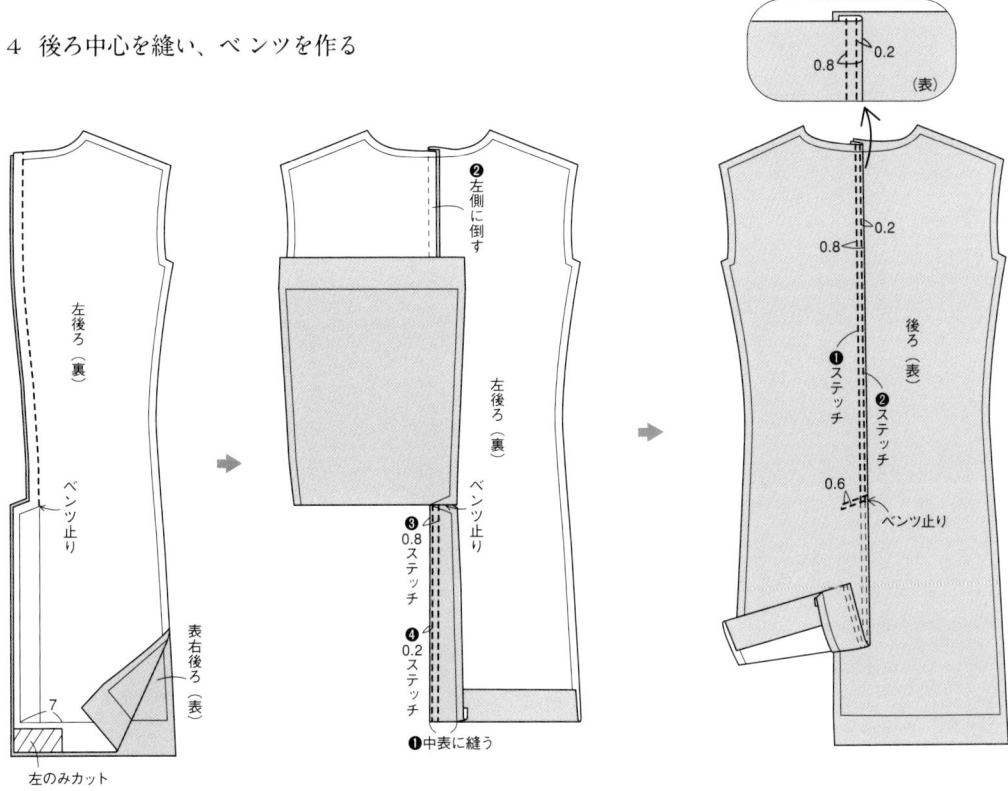

❷左側に倒す
左後ろ（裏）
ベンツ止り
❸0.8ステッチ
❹0.2ステッチ
❶中表に縫う

0.8　0.2
（表）
0.2
0.8
❶ステッチ
❷ステッチ
後ろ（表）
0.6
ベンツ止り

5 ストームフラップを縫ってつける

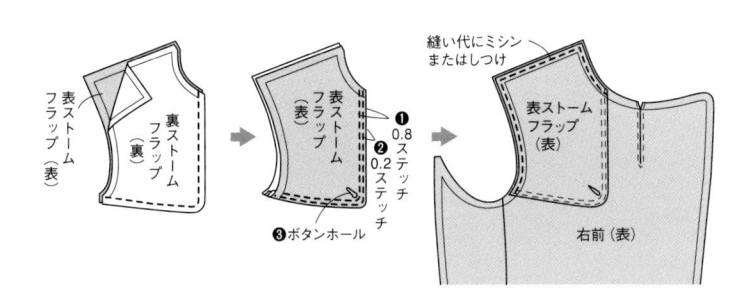

表ストームフラップ（表）
裏ストームフラップ（裏）

表ストームフラップ（表）
❶0.8ステッチ
❷0.2ステッチ
❸ボタンホール

縫い代にミシンまたはしつけ
表ストームフラップ（表）
右前（表）

6 バックヨークを縫ってつける

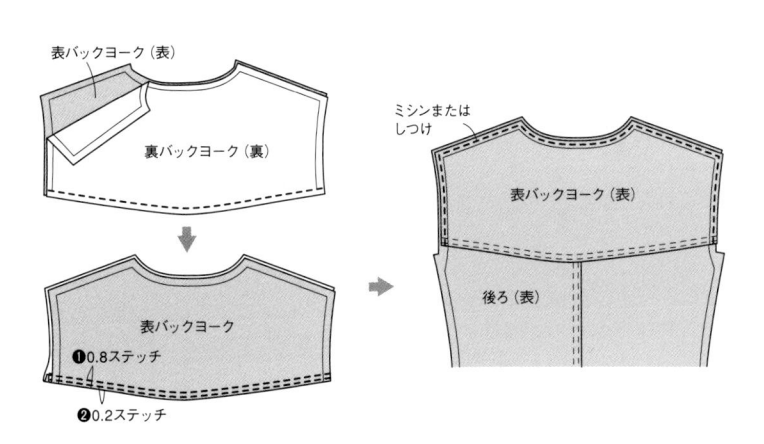

表バックヨーク（表）
裏バックヨーク（裏）

表バックヨーク
❶0.8ステッチ
❷0.2ステッチ

ミシンまたはしつけ
表バックヨーク（表）
後ろ（表）

7 後ろ切替え線、肩を縫う

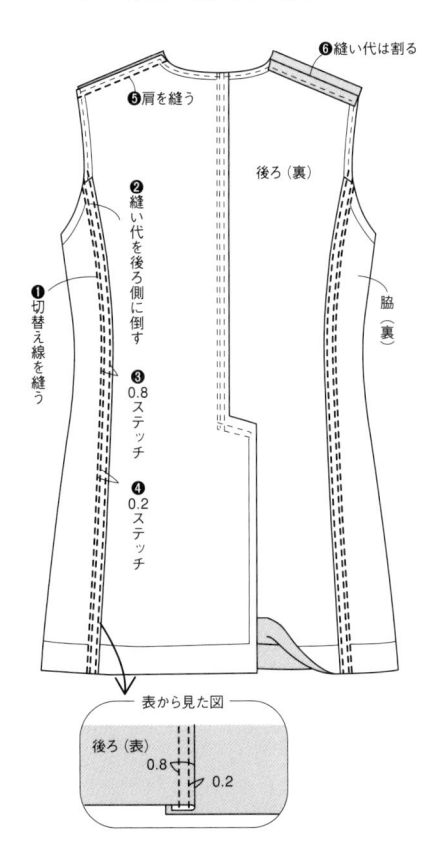

❻縫い代は割る
❺肩を縫う
後ろ（裏）
脇（裏）
❶切替え線を縫う
❷縫い代を後ろ側に倒す
❸0.8ステッチ
❹0.2ステッチ

表から見た図
後ろ（表）
0.8　0.2

8 ベルト通し、ループを作る

ベルト通し・肩章通し（表）
わ　❶四つ折り　❷ステッチ

カフストラップ通し　肩章通し　ベルト通し
6　　　　　　　7　　　　　8.5
6本　　　　　　2本　　　　2本

ループ（表）
わ　0.5四つ折り

15　　　　　　5
ベルトループ　小ベルトループ

9 袖を作る

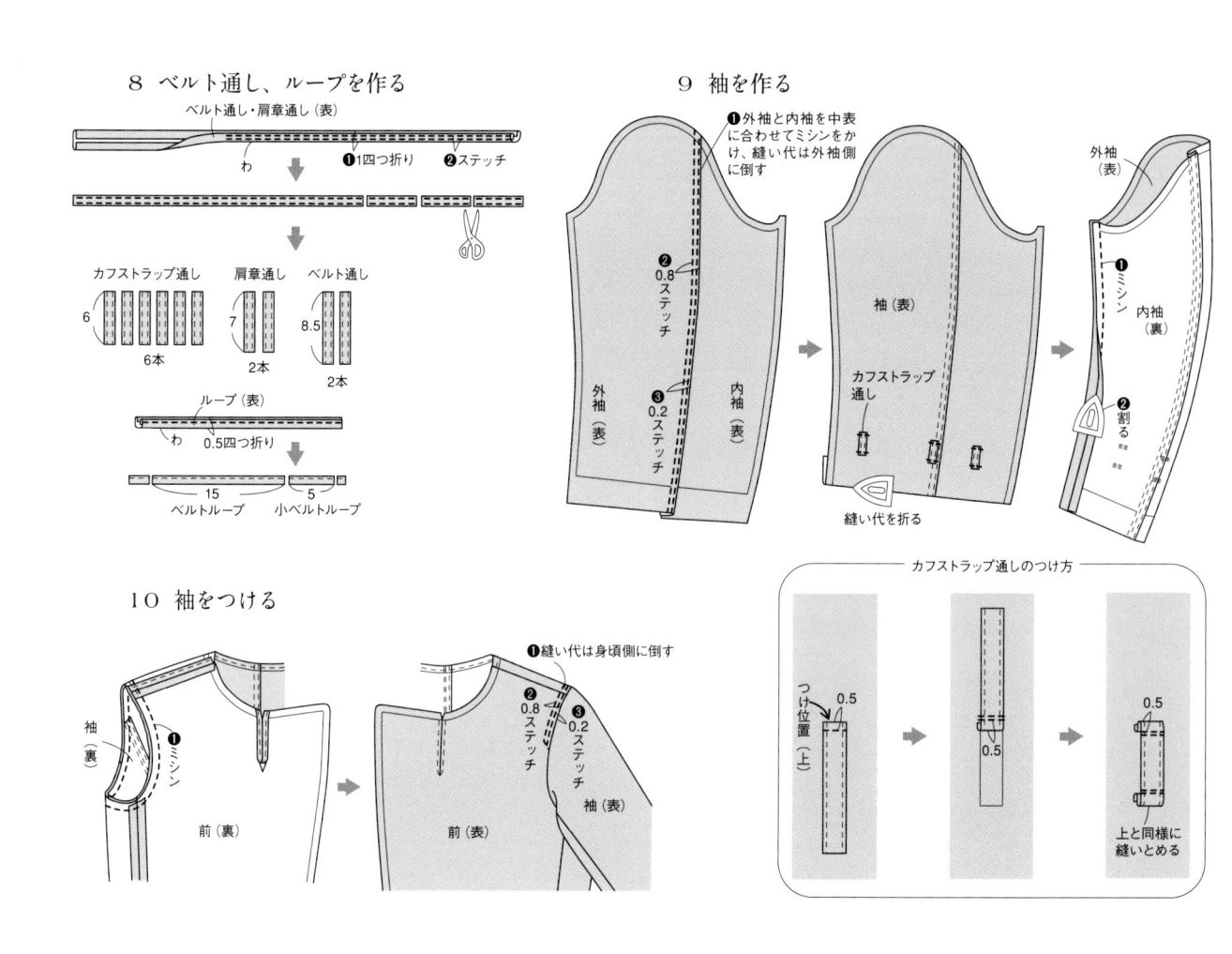

❶外袖と内袖を中表に合わせてミシンをかけ、縫い代は外袖側に倒す

❷0.8ステッチ
❸0.2ステッチ
外袖（表）　内袖（表）
カフストラップ通し
縫い代を折る

外袖（表）
❶ミシン
内袖（裏）
❷割る

カフストラップ通しのつけ方
つけ位置（上）　0.5
0.5
0.5
上と同様に縫いとめる

10 袖をつける

袖（裏）
❶ミシン
前（裏）

❶縫い代は身頃側に倒す
❷0.8ステッチ
❸0.2ステッチ
前（表）　袖（表）

11 ベルト通し、肩章通しをつける

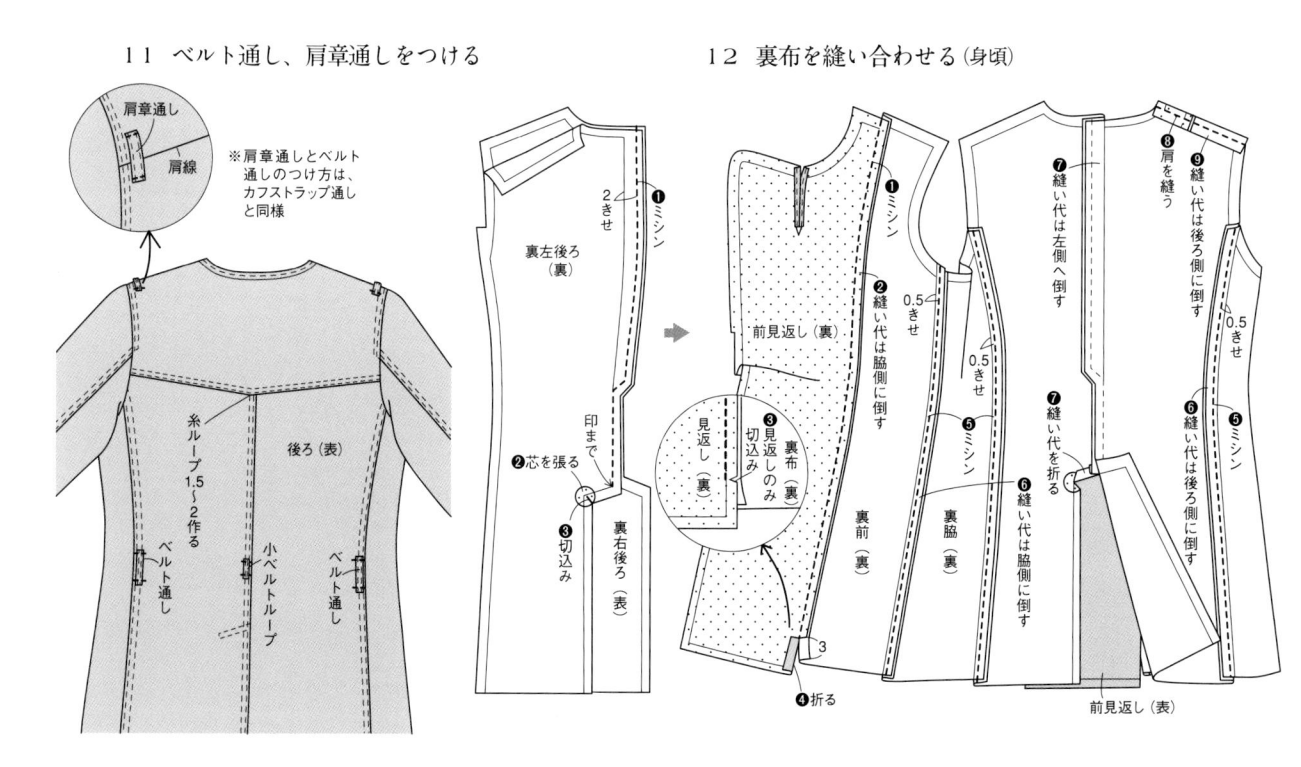

肩章通し
肩線

※肩章通しとベルト通しのつけ方は、カフストラップ通しと同様

糸ループ1.5〜2作る
後ろ（表）
ベルト通し　小ベルトループ　ベルト通し

12 裏布を縫い合わせる（身頃）

裏左後ろ（裏）
❶ミシン
2きせ
❷芯を張る
❸切込み
印まで
裏右後ろ（表）

前見返し（裏）
❶ミシン
❷縫い代は脇側に倒す
0.5きせ
見返しのみ切込み
裏布（裏）
見返し（裏）
裏前（裏）
❹折る
3

❺ミシン
0.5きせ
裏脇（裏）
❻縫い代を折る
❼縫い代は脇側に倒す

❽肩を縫う
❾縫い代は左側に倒す
❼縫い代は後ろ側に倒す
❻縫い代は後ろ側に倒す
❺ミシン
0.5きせ
前見返し（表）

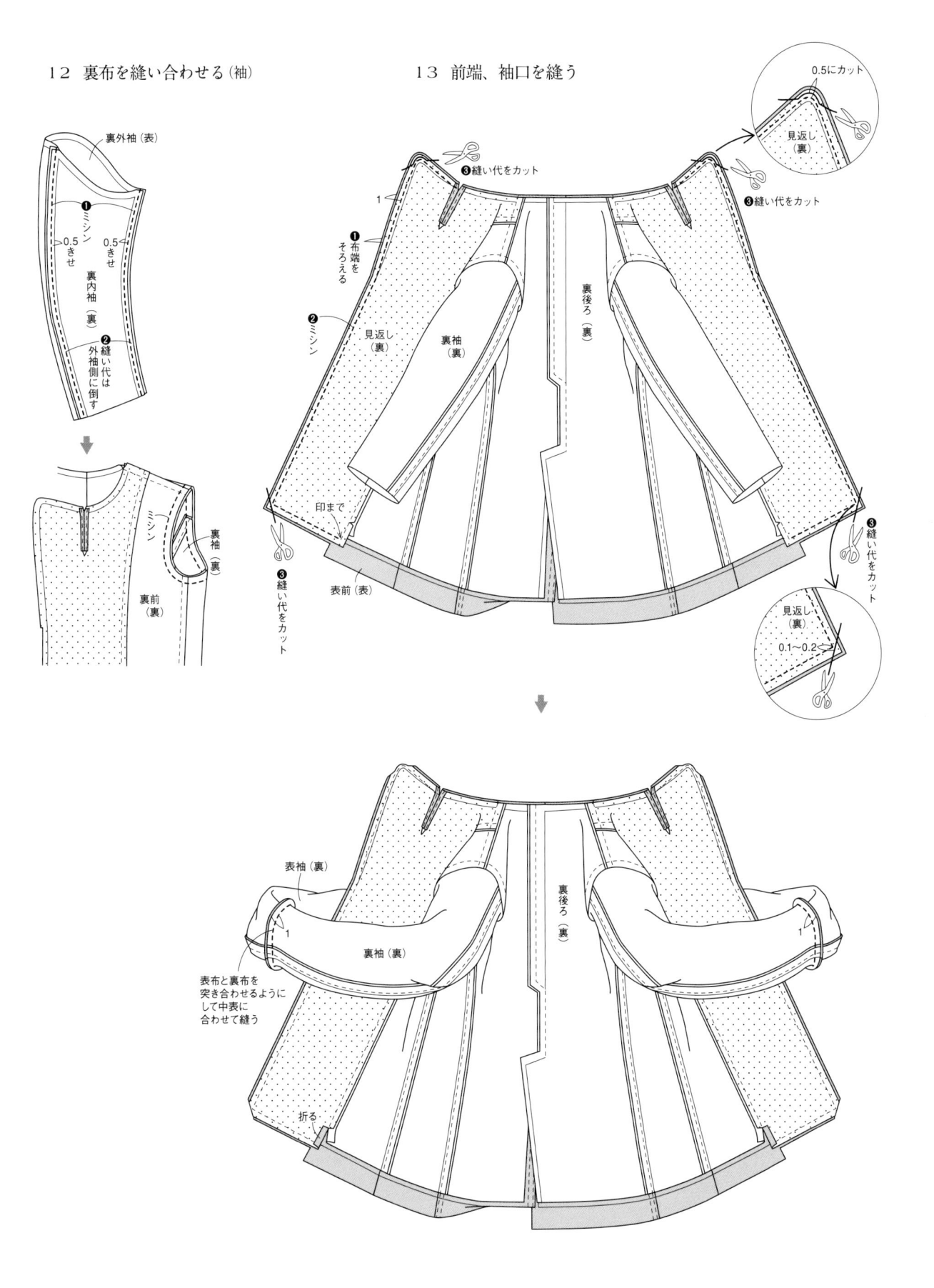

12 裏布を縫い合わせる（袖）　　13 前端、袖口を縫う

0.5にカット
見返し（裏）
❸縫い代をカット

裏外袖（表）
❶ミシン
0.5きせ
0.5きせ
裏内袖（裏）
❷縫い代は外袖側に倒す

❶布端をそろえる
❷ミシン
見返し（裏）
裏袖（裏）
裏後ろ（裏）
❸縫い代をカット
印まで
表前（表）
❸縫い代をカット

見返し（裏）
0.1〜0.2
❸縫い代をカット

ミシン
裏袖（裏）
裏前（裏）

表袖（裏）
裏袖（裏）
裏後ろ（裏）
表布と裏布を突き合わせるようにして中表に合わせて縫う
折る

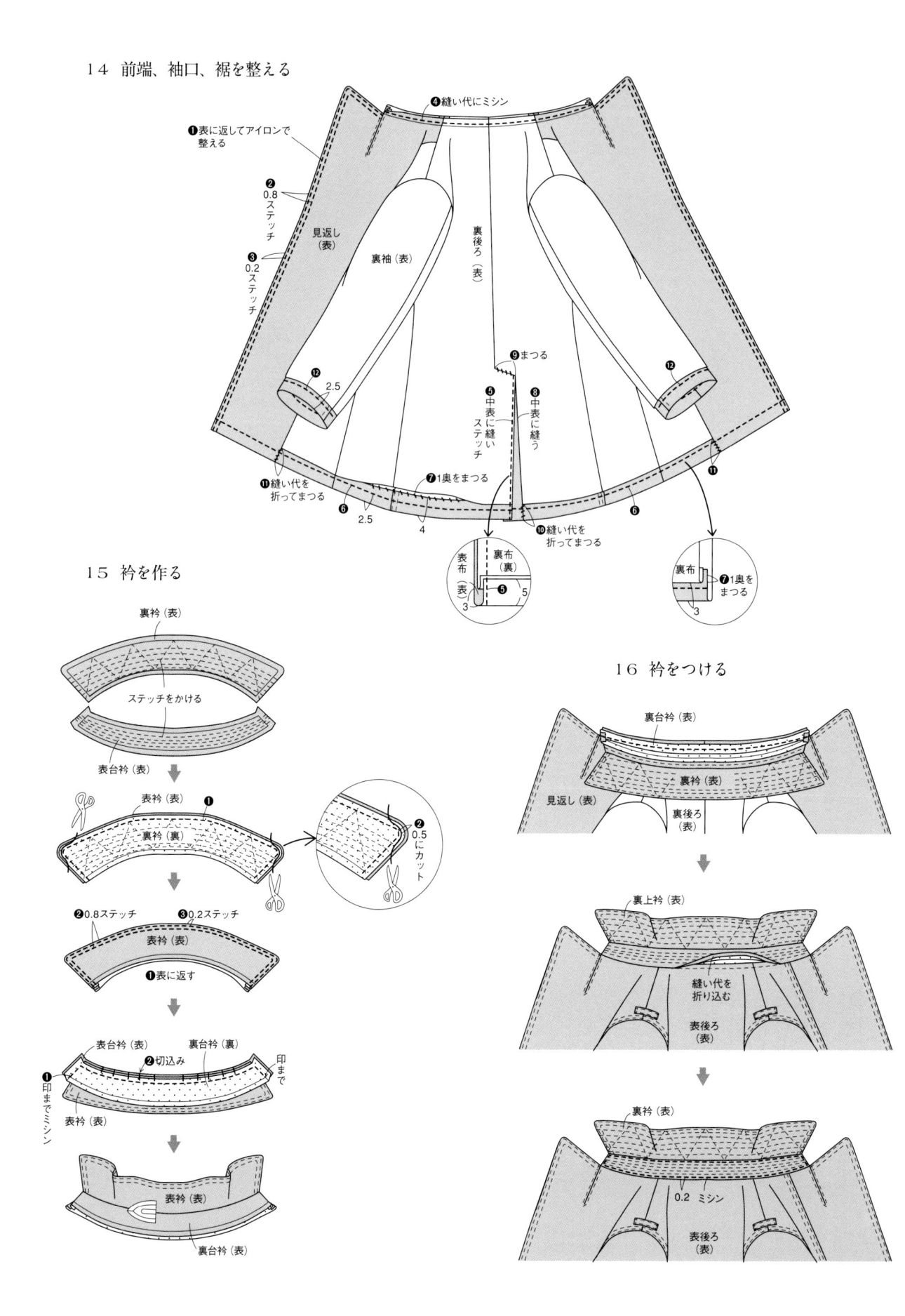

14 前端、袖口、裾を整える

- ❶ 表に返してアイロンで整える
- ❷ 0.8 ステッチ
- ❸ 0.2 ステッチ
- ❹ 縫い代にミシン
- ❺ 中表に縫いステッチ
- ❻ 2.5
- ❼ 1奥をまつる
- ❽ 中表に縫う
- ❾ まつる
- ❿ 縫い代を折ってまつる
- ⓫ 縫い代を折ってまつる
- ⓬ 2.5

見返し（表）／裏袖（表）／裏後ろ（表）／表布（表）／裏布（裏）／裏布

15 衿を作る

裏衿（表）／表台衿（表）／ステッチをかける

- ❶ 表衿（表）／裏衿（裏）
- ❷ 0.5 にカット

- ❷ 0.8ステッチ
- ❸ 0.2ステッチ
- ❶ 表に返す

表衿（表）／裏台衿（裏）／❷切込み／印まで
- ❶ 印までミシン

表衿（表）／裏台衿（表）

16 衿をつける

裏台衿（表）／裏衿（表）／見返し（表）／裏後ろ（表）

裏上衿（表）／縫い代を折り込む／表後ろ（表）

裏衿（表）／0.2 ミシン／表後ろ（表）

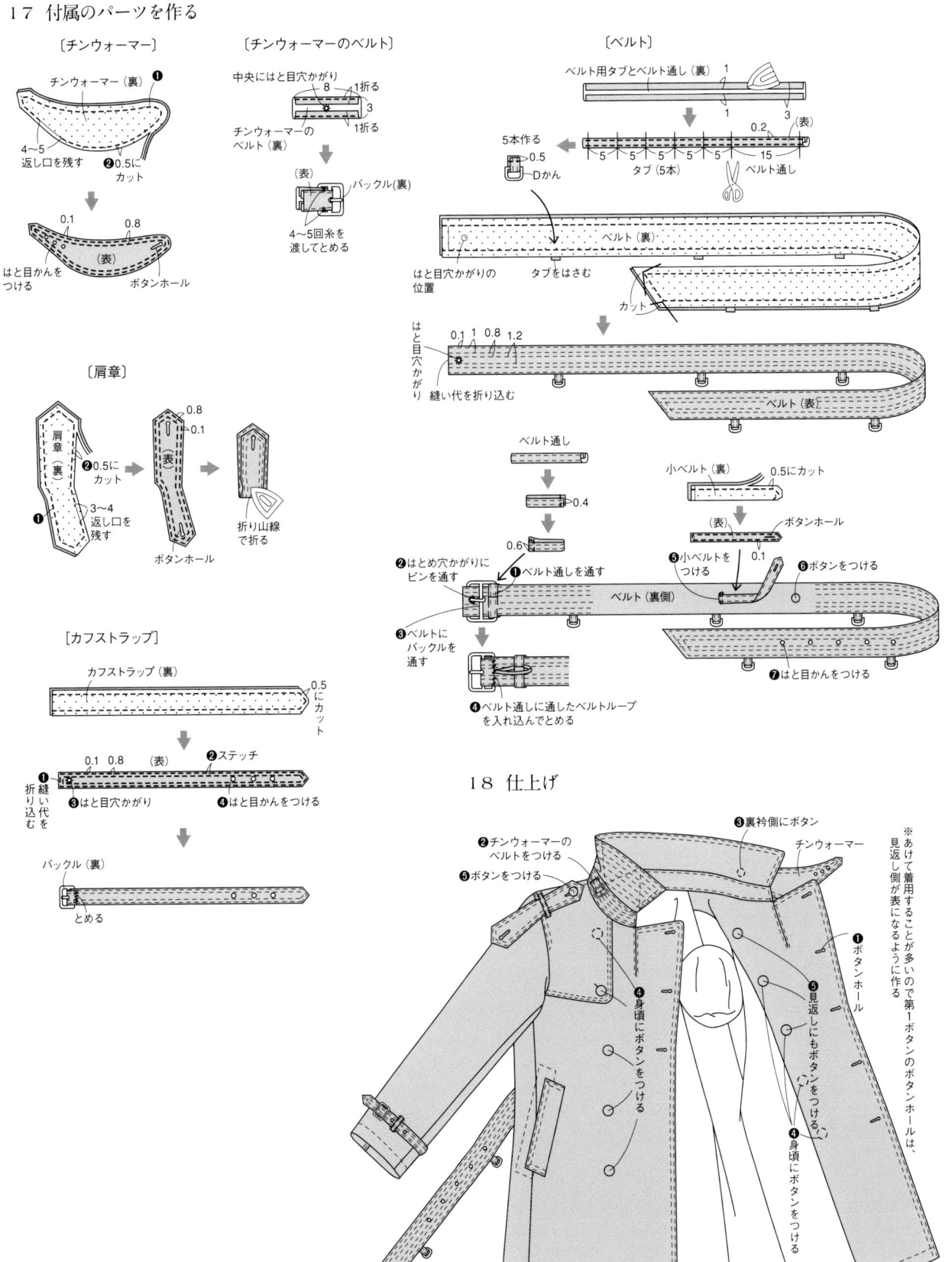

17 付属のパーツを作る

〔チンウォーマー〕

- チンウォーマー（裏）❶
- 4～5 返し口を残す
- ❷0.5にカット
- 0.1　0.8
- （表）
- はと目かんをつける
- ボタンホール

〔チンウォーマーのベルト〕

- 中央にはと目穴かがり
- 8　1折る　1折る
- チンウォーマーのベルト（裏）
- （表）　バックル（裏）
- 4～5回糸を渡してとめる

〔ベルト〕

- ベルト用タブとベルト通し（裏）　1　1　3
- 5本作る
- 0.5　Dかん
- 0.2　（表）
- 5　5　5　5　15
- タブ（5本）　ベルト通し
- はと目穴かがりの位置　タブをはさむ　ベルト（裏）　カット
- 0.1　1　0.8　1.2
- はと目穴かがり　縫い代を折り込む　ベルト（表）
- ベルト通し　0.4　0.6
- 小ベルト（裏）　0.5にカット
- （表）　ボタンホール　0.1
- ❷はとめ穴かがりにピンを通す
- ❶ベルト通しを通す
- ❺小ベルトをつける
- ❻ボタンをつける
- ❸ベルトにバックルを通す
- ベルト（裏側）
- ❹ベルト通しに通したベルトループを入れ込んでとめる
- ❼はと目かんをつける

〔肩章〕

- 肩章（裏）
- ❶　3～4 返し口を残す
- ❷0.5にカット
- 0.8　0.1　（表）
- ボタンホール
- 折り山線で折る

[カフストラップ]

- カフストラップ（裏）
- 0.5にカット
- 0.1　0.8　（表）　❷ステッチ
- ❶縫い代を折り込む
- ❸はと目穴かがり
- ❹はと目かんをつける
- バックル（裏）
- とめる

18 仕上げ

- ❷チンウォーマーのベルトをつける
- ❸裏衿側にボタン
- チンウォーマー
- ❺ボタンをつける
- ❶ボタンホール
- ❺見返しにもボタンをつける
- ❹身頃にボタンをつける
- ❹身頃にボタンをつける

※あけて着用することが多いので第1ボタンのボタンホールは、見返し側が表になるように作る

no.2 トレンチコート > page 12

◆使用パターン（A面）no.1のトレンチコートと全く同じパターンで作っています

◆本縫い順序

本縫い順序はno.1と同様です。詳しい作り方は48～55ページを参照してください。

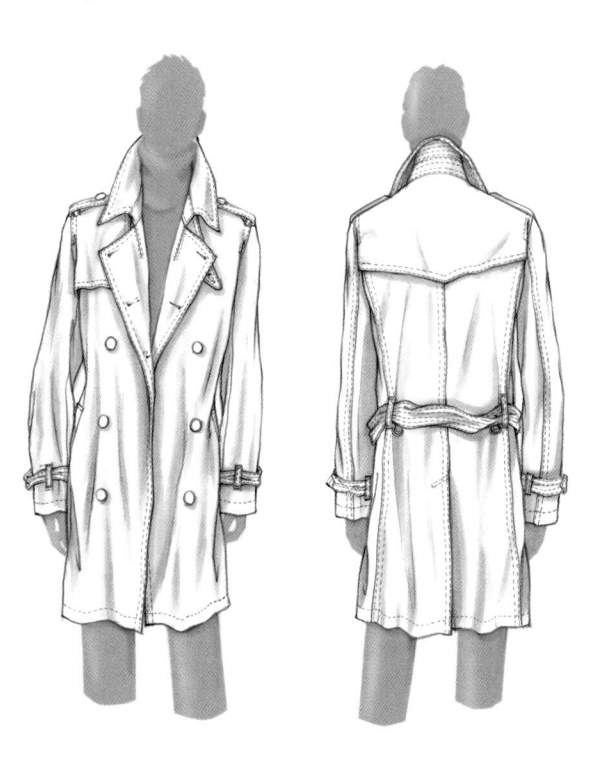

使用量
- 表布（裏布分を含む）=110cm幅
  （S、M）6m10cm、（L、XL）6m50cm
- 接着芯=90cm幅
  （S、M）1m40cm、（L、XL）1m60cm
  （付属品は、48ページ参照）

作り方ポイント
表布と裏布は同じ布で裁断するため、面倒でも裏前、裏脇、裏後ろ、裏外袖、裏内袖のパターンを作っておくと裁断もれを防ぐことができます。また形の似ているパターンは、縫い合わせるときにそれぞれのパーツを間違えないよう注意してください。

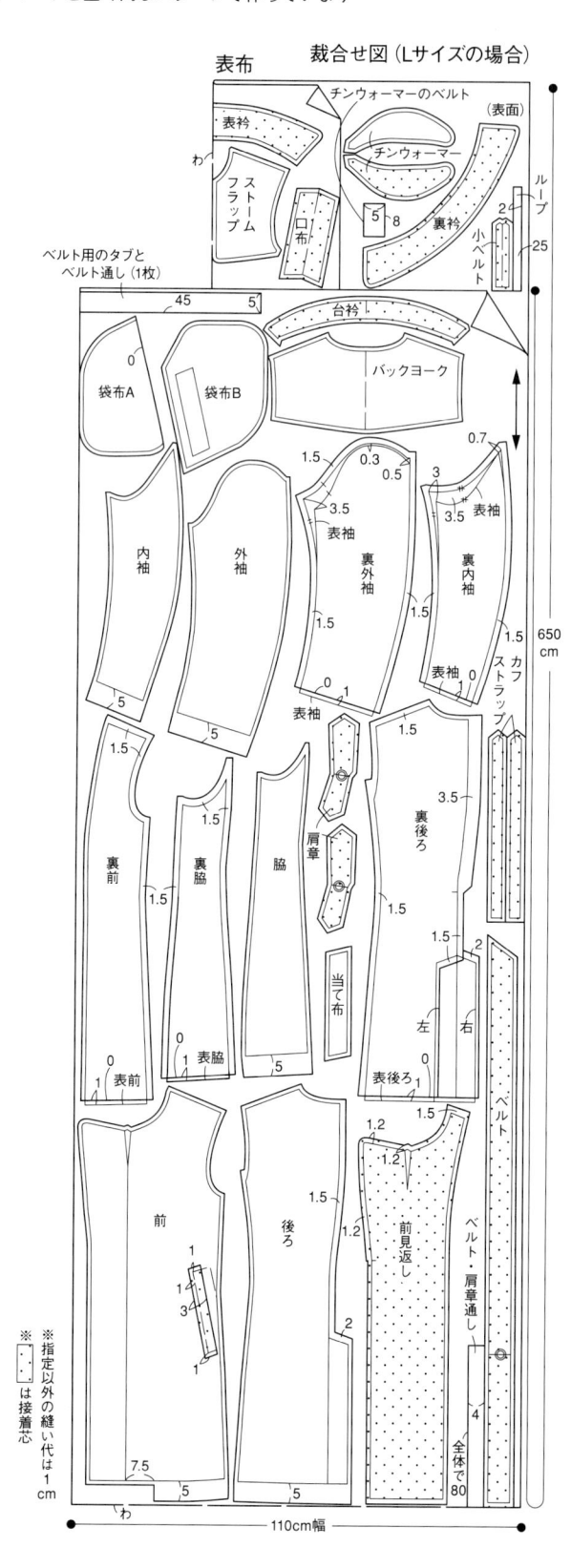

裁合せ図（Lサイズの場合）

no.3

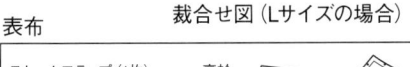

トレンチコート　>page14

◆使用パターン（A面）　表衿・裏衿・バックヨーク・台衿・肩章・ストームフラップ・外袖・内袖・脇・口布・袖口タブ・前見返し・前・後ろ・袋布A・袋布B・当て布

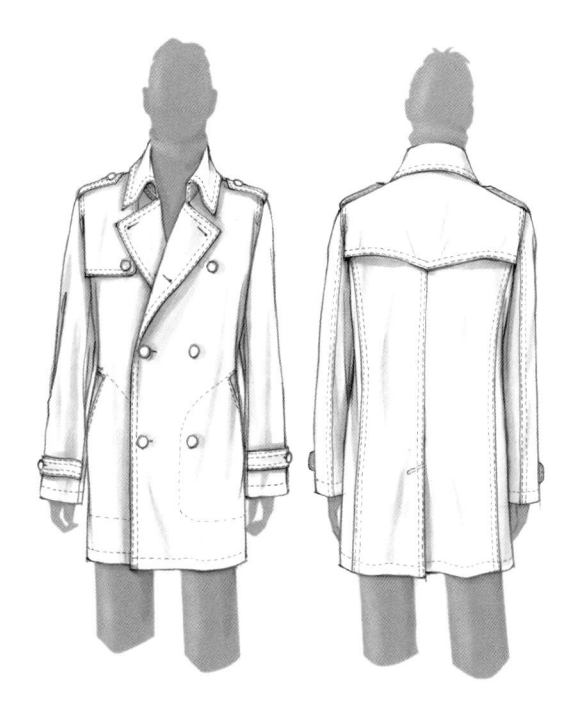

◆本縫い順序

1. ダーツを縫う
2. 前身頃と脇身頃を縫い合わせる
   ※1、2は49ページ参照
3. 箱ポケットを作る
4. 後ろ中心を縫い、ベンツを作る
   ※3、4は59ページ参照
5. ストームフラップを縫ってつける
6. バックヨークを縫ってつける
7. 後ろ切替え線、肩を縫う
   ※5～7は51ページ参照
8. 袖口タブを作る
9. 袖を作る
10. 肩章を作る
11. 袖をつける
12. 前端を縫い、裾を始末する
    ※8～12は60ページ参照
13. 衿を作る
14. 衿をつける
    ※13、14は54ページ参照
15. 仕上げ

使用量
- 表布＝140cm幅
  （S、M）3m10cm（L、XL）3m40cm
- スレキ＝105cm幅 40cm
- 接着芯＝90cm幅 1m40cm
- ボタンの大きさ＝2.3cm 7個（前あき）、3個（内ボタン）、2.0cm 4個（肩章、袖口タブ）

作り方ポイント
一重仕立てなので、ロックミシンで裁ち端の始末をします。

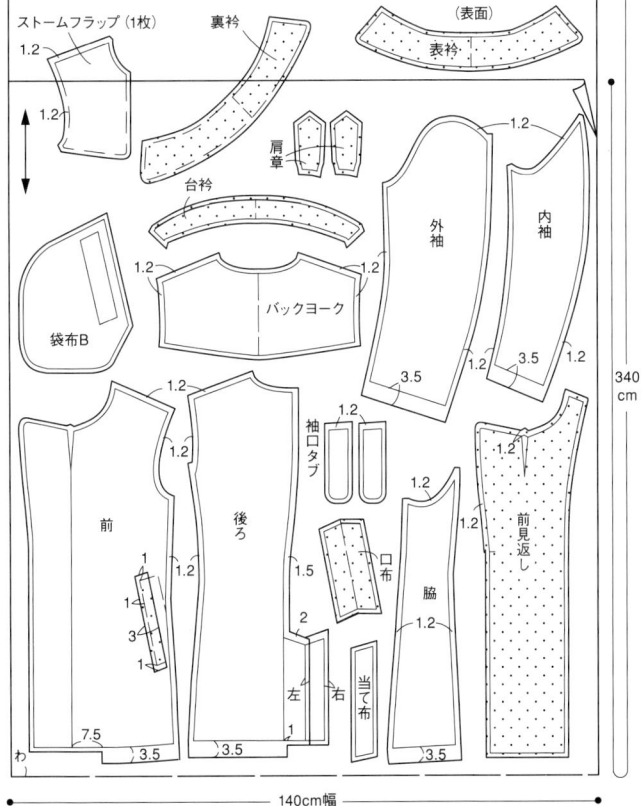

裁合せ図（Lサイズの場合）

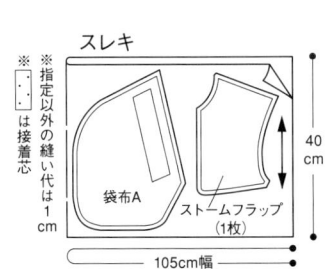

no.4 トレンチコート >page15

◆使用パターン（A面）表衿・裏衿・バックヨーク・台衿・肩章・ストームフラップ・外袖・内袖・脇・口布・袖口タブ・前見返し・前・後ろ・袋布A・袋布B・当て布

◆本縫い順序

1. ダーツを縫う
2. 前身頃と脇身頃を縫い合わせる
   ※1、2は49ページ参照
3. 箱ポケットを作る
4. 後ろ中心を縫い、ベンツを作る
5. ストームフラップを縫ってつける
6. バックヨークを縫ってつける
7. 後ろ切替え線、肩を縫う
   ※5～7は51ページ参照
8. 袖口タブを作る
9. 袖を作る
10. 肩章を作る
11. 袖をつける
12. 前端を縫い、裾を始末する
13. 衿を作る
14. 衿をつける
    ※13、14は54ページ参照
15. 仕上げ

使用量
- 表布＝122cm幅
  （S、M）3m50cm、（L、XL）3m80cm
- 接着芯＝90cm幅1m40cm
- ボタンの大きさ＝2.3cm 7個（前あき）、3個（内ボタン）、2.0cm 4個（肩章、袖口タブ）
- バイアステープ（両折りタイプ）＝1.2cm幅1m50cm

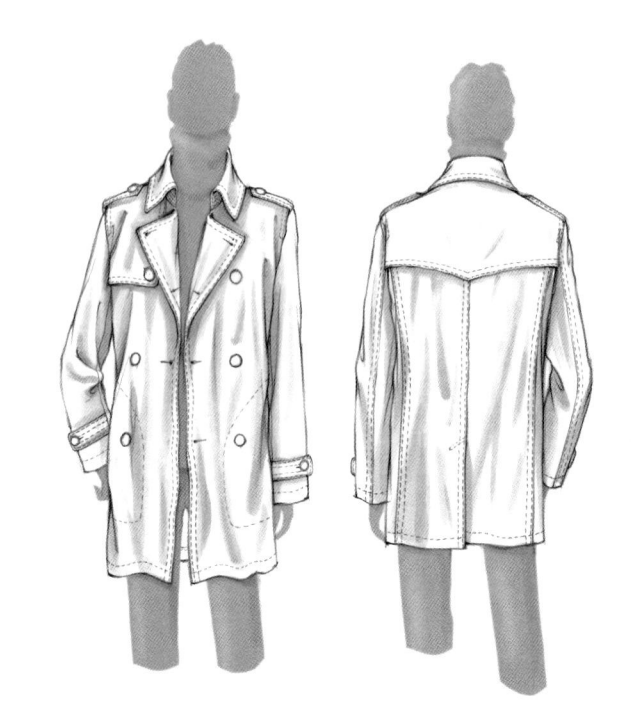

作り方ポイント
一重仕立てなので、ロックミシンで裁ち端の始末をします。

裁合せ図（Lサイズの場合）

※指定以外の縫い代は1cm
※ は接着芯

3 箱ポケットを作る（一重仕立ての場合）

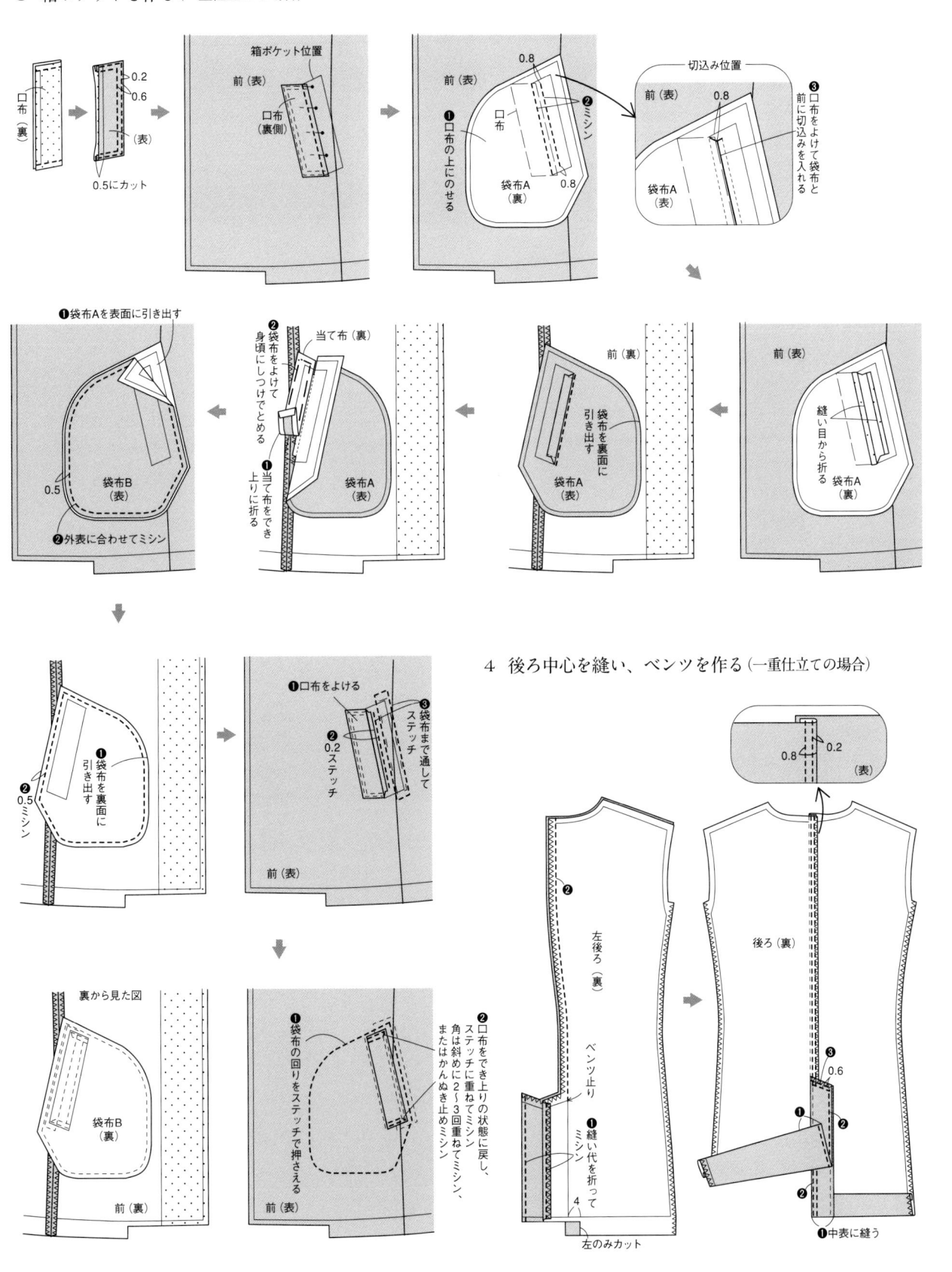

4 後ろ中心を縫い、ベンツを作る（一重仕立ての場合）

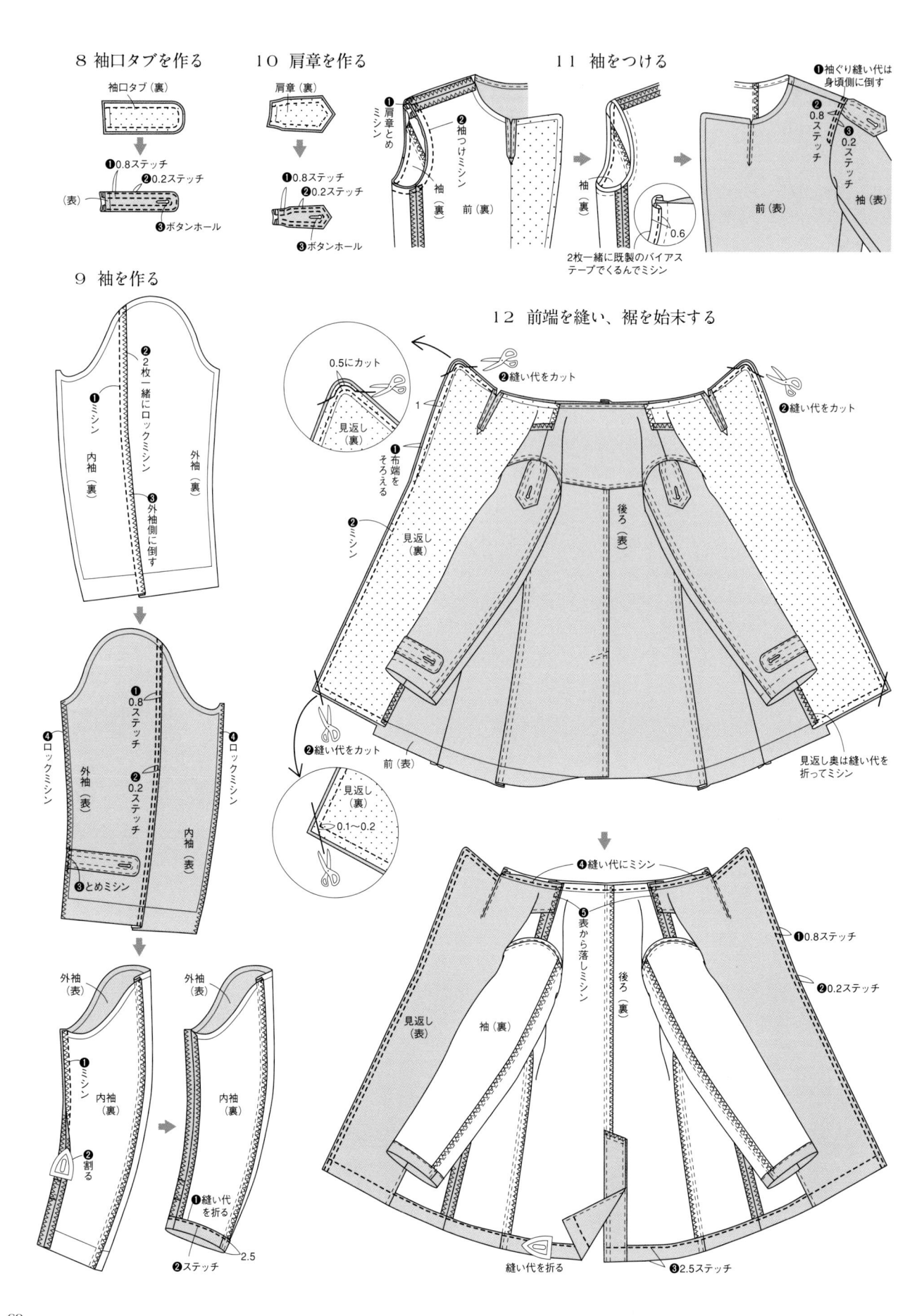

8 袖口タブを作る

袖口タブ（裏）

❶0.8ステッチ
❷0.2ステッチ
❸ボタンホール
（表）

10 肩章を作る

肩章（裏）

❶0.8ステッチ
❷0.2ステッチ
❸ボタンホール

11 袖をつける

❶肩章とめ
❷袖つけミシン
袖（裏）
前（裏）

2枚一緒に既製のバイアス
テープでくるんでミシン
0.6

❶袖ぐり縫い代は
身頃側に倒す
❷0.8ステッチ
❸0.2ステッチ
前（表）
袖（表）

9 袖を作る

❶ミシン
❷2枚一緒にロックミシン
❸外袖側に倒す
内袖（裏）
外袖（裏）

❶0.8ステッチ
❷0.2ステッチ
❸とめミシン
❹ロックミシン
外袖（表）
内袖（表）

❶ミシン
❷割る
内袖（裏）
外袖（表）

❶縫い代を折る
❷ステッチ
2.5

12 前端を縫い、裾を始末する

0.5にカット
見返し（裏）
❶布端をそろえる
❷縫い代をカット
❷ミシン
見返し（裏）
後ろ（表）
❷縫い代をカット

見返し（裏）
0.1〜0.2
❷縫い代をカット
前（表）

見返し奥は縫い代を
折ってミシン

❹縫い代にミシン
❺表から落しミシン
見返し（表）
袖（裏）
後ろ（裏）

❶0.8ステッチ
❷0.2ステッチ

縫い代を折る
❸2.5ステッチ

no.5

ピーコート > page 19

◆使用パターン（B面）　表衿・裏衿・台衿・前・後ろ・前見返し・外袖・内袖・口布・袋布A・袋布B

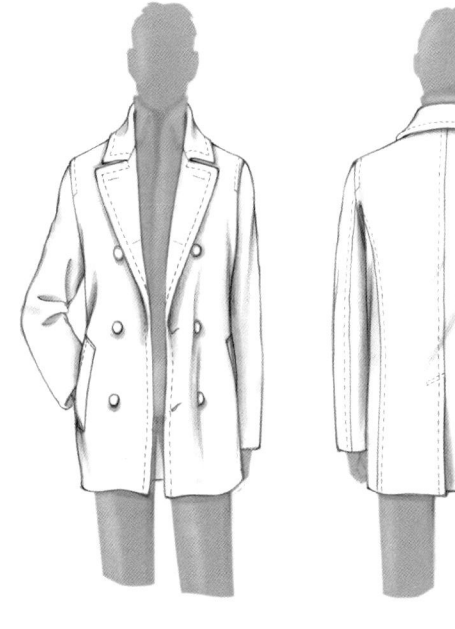

◆本縫い順序

1. ダーツを縫う
2. 箱ポケットを作る
3. 後ろ中心を縫い、ベンツを作る
4. 前後身頃を縫い合わせる
5. 裏身頃を縫い合わせる
6. 衿をつける
7. 表袖を作ってつける
8. 裏袖を作ってつける
9. 衿外回り、前端、袖口を縫う
10. 表に返して整える
11. ボタンホールとボタンつけ

使用量

- 表布＝92cm幅
  （S、M）3m30cm、（L、XL）3m50cm
- 裏布A（綿ブロード・身頃分）＝112cm幅
  （S、M）1m50cm、（L、XL）1m60cm
- 裏布B（袖分）＝90cm幅
  （S、M）90cm、（L、XL）1m10cm
- スレキ（袋布分）＝105cm幅 40cm
- 接着芯＝90cm幅 90cm
- ボタンの大きさ＝3.0cm 8個（前あき）、
  2個（内ボタン）
- 力ボタン＝6個

裁合せ図（Lサイズの場合）

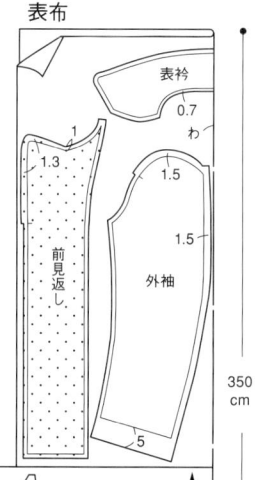

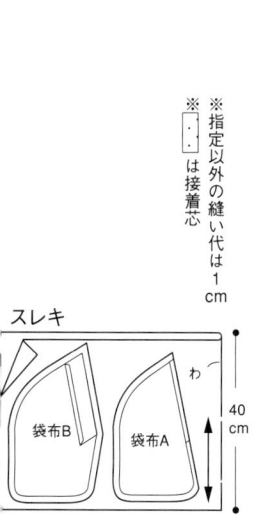

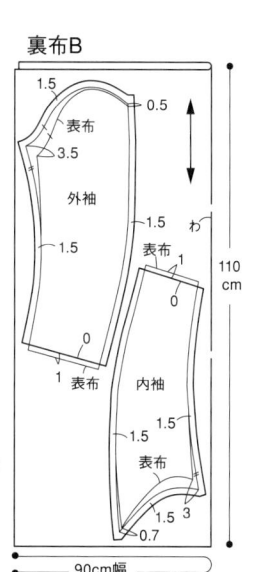

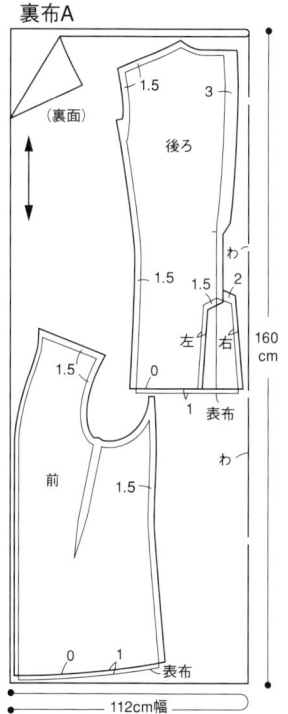

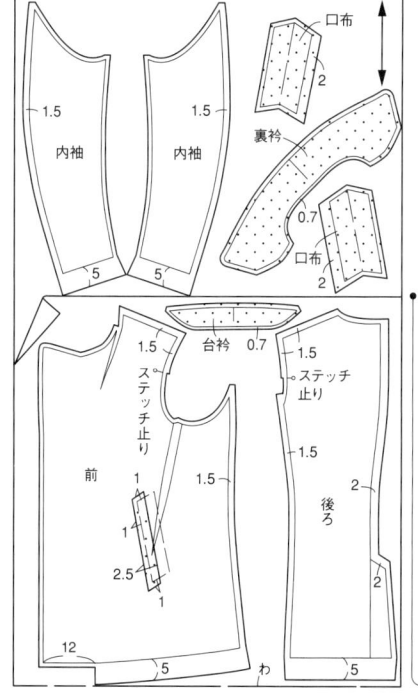

※指定以外の縫い代は1cm
※ ▒ は接着芯

1 ダーツを縫う

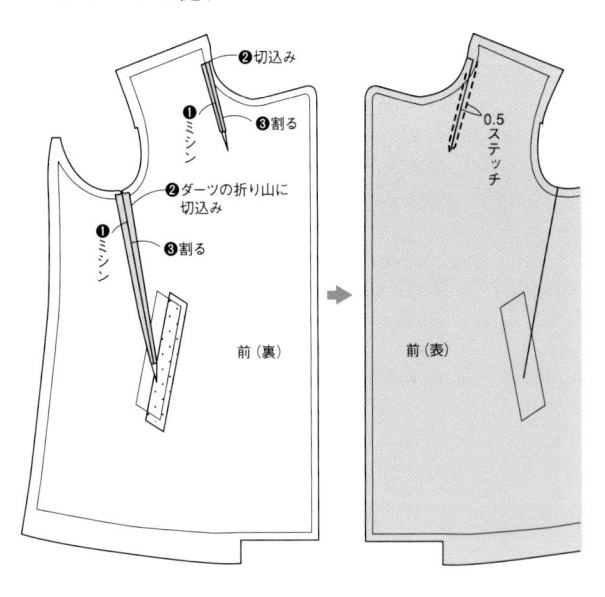

3 後ろ中心を縫い、ベンツを作る

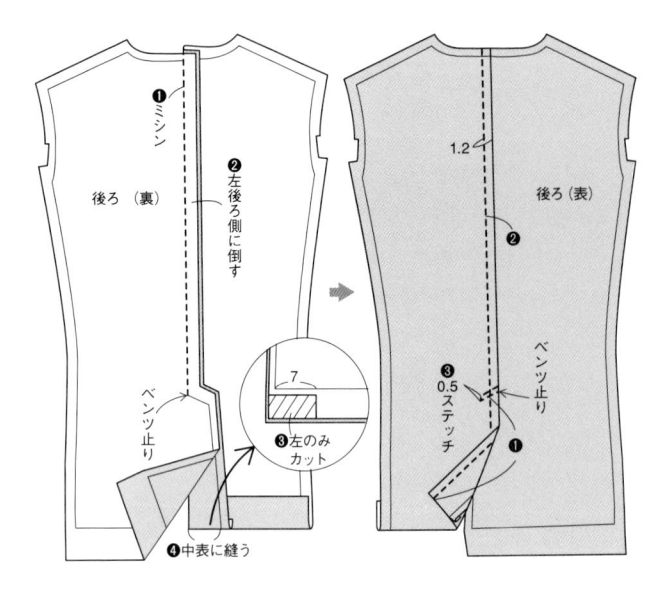

2 箱ポケットを作る

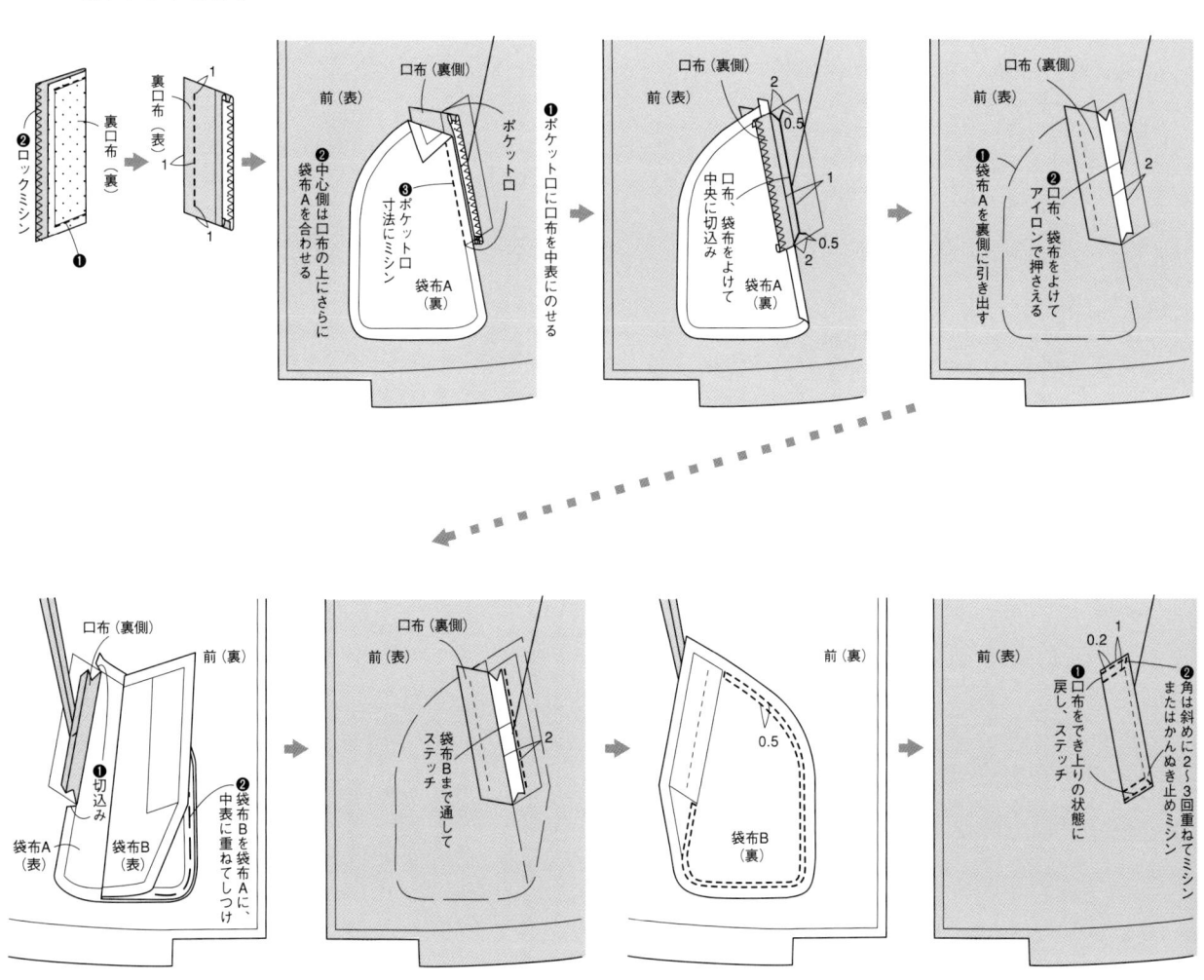

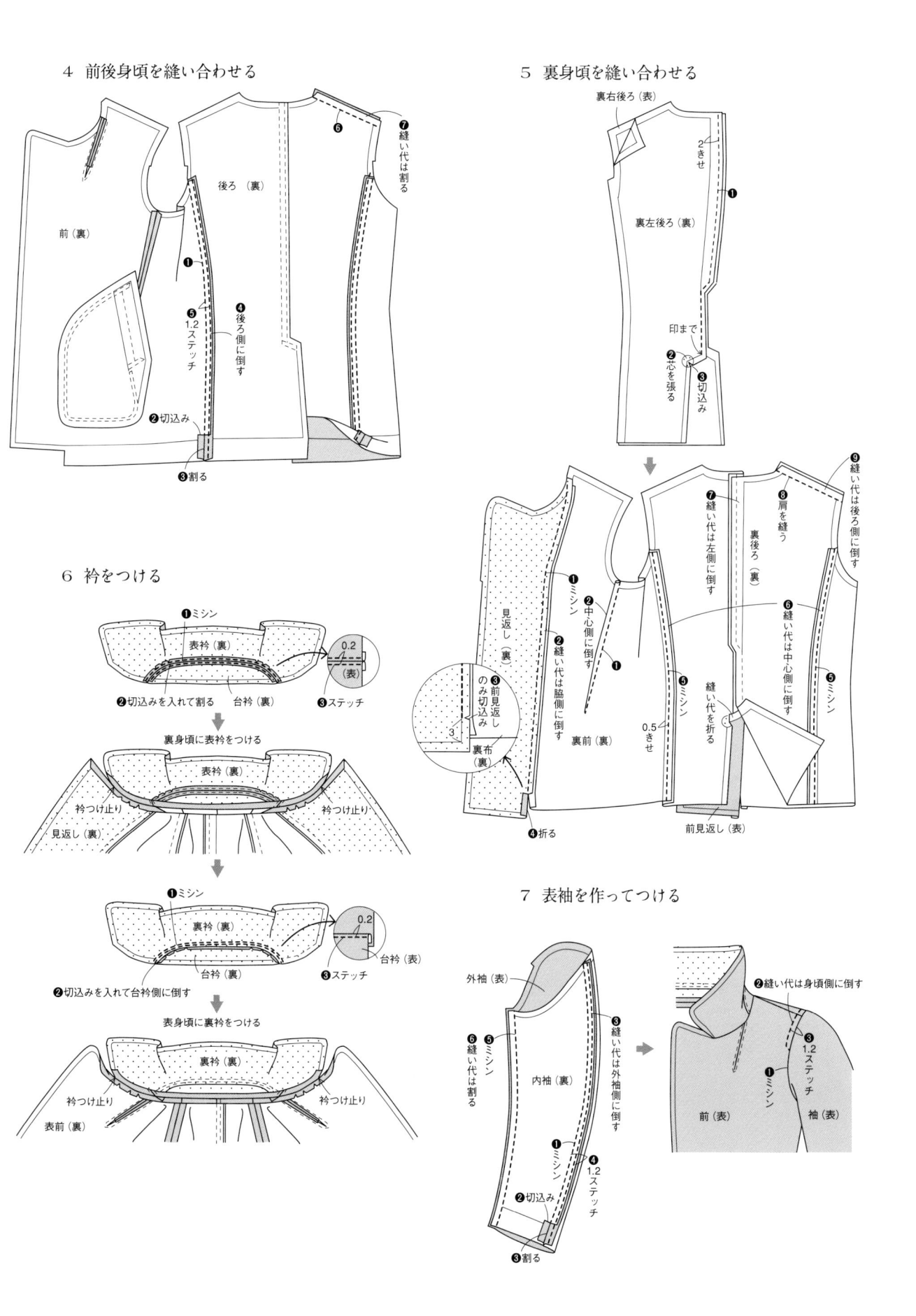

4 前後身頃を縫い合わせる

- ❶
- ❷切込み
- ❸割る
- ❹後ろ側に倒す
- ❺1.2ステッチ
- ❻
- ❼縫い代は割る

前（裏）
後ろ（裏）

5 裏身頃を縫い合わせる

裏右後ろ（表）
2きせ
裏左後ろ（裏）
印まで
❶
❷芯を張る
❸切込み

- ❶ミシン
- ❷縫い代は脇側に倒す
- ❸前見返しのみ切込み
- ❹折る
- ❺ミシン
- ❻縫い代は中心側に倒す
- ❼縫い代は左側に倒す
- ❽肩を縫う
- ❾縫い代は後ろ側に倒す

見返し（裏）
裏前（裏）
裏布（裏）
前見返し（表）
裏後ろ（裏）
❶
❷中心側に倒す
0.5きせ
縫い代を折る

6 衿をつける

- ❶ミシン
- ❷切込みを入れて割る
- ❸ステッチ

表衿（裏）
台衿（裏）
0.2
（表）

裏身頃に表衿をつける

表衿（裏）
衿つけ止り
見返し（裏）

- ❶ミシン
- ❷切込みを入れて台衿側に倒す
- ❸ステッチ

裏衿（裏）
台衿（裏）
台衿（表）
0.2

表身頃に裏衿をつける

裏衿（裏）
衿つけ止り
表前（裏）

7 表袖を作ってつける

外袖（表）
内袖（裏）

- ❶ミシン
- ❷切込み
- ❸割る
- ❹1.2ステッチ
- ❺ミシン
- ❻縫い代は割る
- ❾縫い代は外袖側に倒す

- ❶ミシン
- ❷縫い代は身頃側に倒す
- ❸1.2ステッチ

前（表）
袖（表）

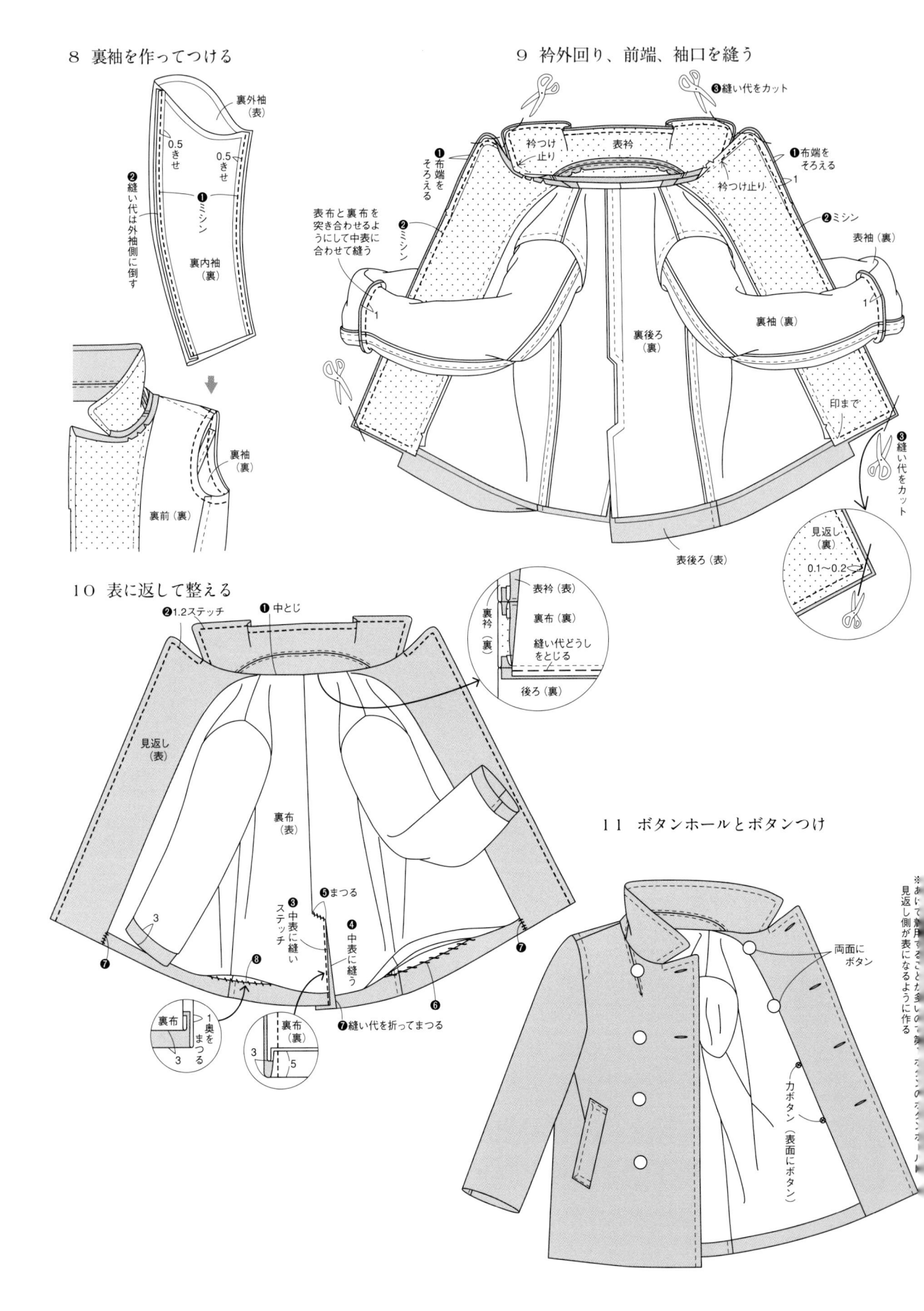

8 裏袖を作ってつける

- 裏外袖（表）
- 0.5 きせ
- 0.5 きせ
- ❶ミシン
- ❷縫い代は外袖側に倒す
- 裏内袖（裏）
- 裏袖（裏）
- 裏前（裏）

9 衿外回り、前端、袖口を縫う

- ❸縫い代をカット
- 衿つけ止り
- 表衿
- 衿つけ止り
- ❶布端をそろえる
- ❶布端をそろえる
- ❷ミシン
- 表布と裏布を突き合わせるようにして中表に合わせて縫う
- ❷ミシン
- 表袖（裏）
- 裏袖（裏）
- 1
- 1
- 裏後ろ（裏）
- 印まで
- 表後ろ（表）
- ❸縫い代をカット
- 見返し（裏）
- 0.1～0.2

10 表に返して整える

- ❷1.2ステッチ
- ❶中とじ
- 表衿（表）
- 裏衿（裏）
- 裏布（裏）
- 縫い代どうしをとじる
- 後ろ（裏）
- 見返し（表）
- 裏布（表）
- 3
- ❸中表に縫いステッチ
- ❹中表に縫う
- ❺まつる
- ❻
- ❼縫い代を折ってまつる
- ❼
- ❼
- ❽
- 裏布
- ❶奥をまつる
- 3
- 裏布（裏）
- 3
- 5

11 ボタンホールとボタンつけ

- 両面にボタン
- カボタン（表面にボタン）

※あいて開ける方ことなうしので、見返し側が表になるように作る

no.7 ピーコート > page23

◆使用パターン（B面）　前・後ろ・前見返し・外袖・内袖・表衿・裏衿・台衿・口布・袋布A・袋布B

◆本縫い順序

本縫い順序はno.5と同様です。詳しい作り方は61〜64ページを参照してください。

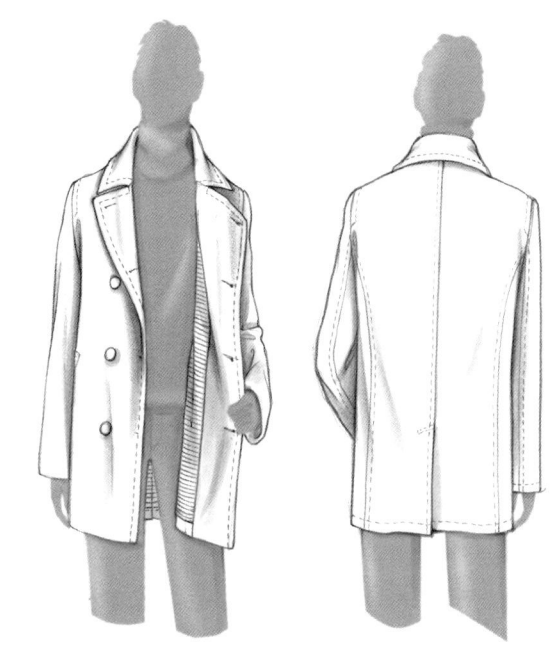

使用量
- 表布＝150cm幅
  （S、M）1m 90cm、（L、XL）2m 10cm
- 裏布A（ストライプの木綿・身頃分）
  ＝92cm幅
  （S、M）1m 40cm、（L、XL）1m 50cm
- 裏布B（袖分）＝90cm幅
  （S、M）90cm、（L、XL）1m 10cm
- スレキ（袋布分）＝105cm幅 40cm
- 接着芯＝90cm幅 90cm
- ボタンの大きさ＝3.0cm 8個（前あき）、2個（内ボタン）
- 力ボタン＝6個

作り方ポイント
裏前と裏後ろはストライプの布地を横地に裁ってボーダー風に使っています。

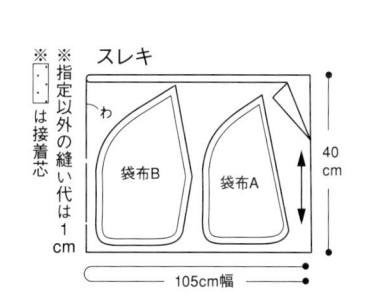

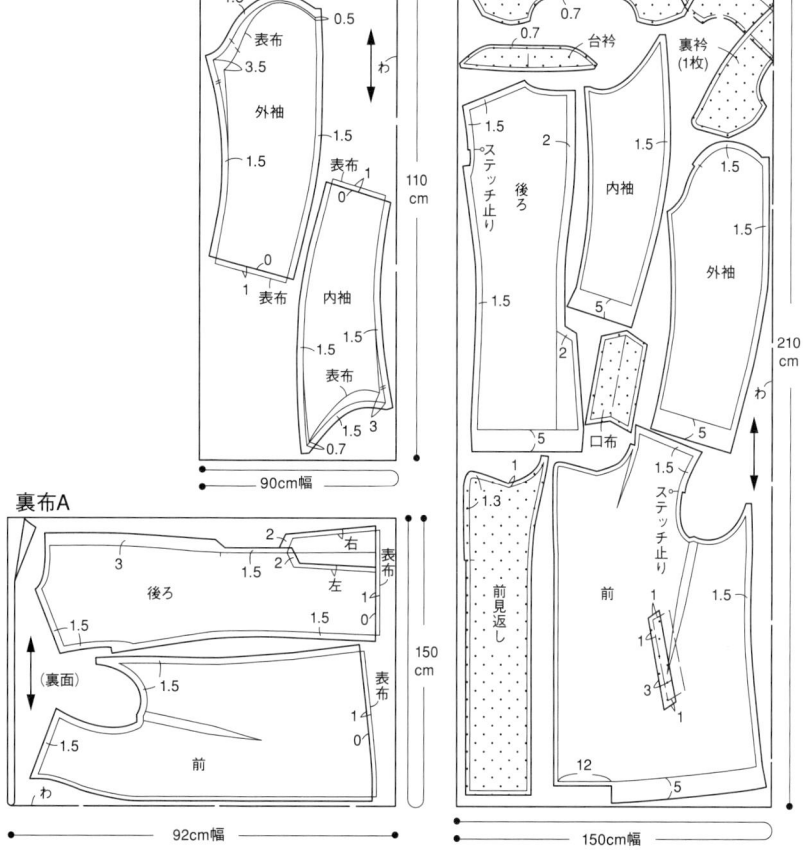

裁合せ図（Lサイズの場合）

no.6 ピーコート >page22

◆使用パターン（B面）表衿・裏衿・台衿・外袖・内袖・口布・向う布・袖口タブ・チンウォーマー・前見返し・前・後ろ・袋布A・袋布B

◆本縫い順序

2　ポケットを作る以外の本縫い順序はno.5と同様です。詳しい作り方は61～64ページを参照してください。チンウォーマーの作り方は74ページ参照。裾と袖口のステッチは2.5cm、他は1.2cm。

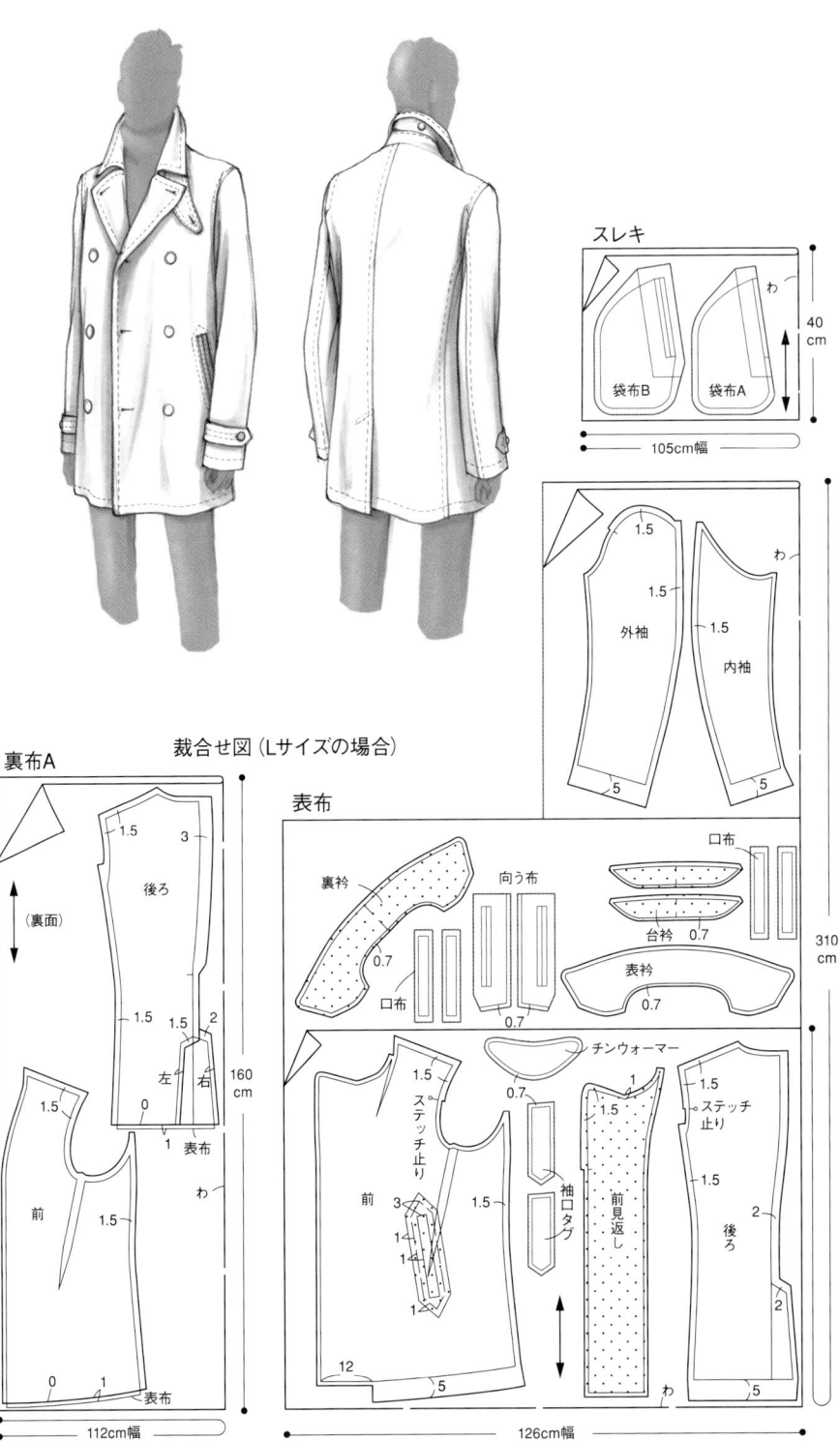

使用量
- 表布＝126cm幅
  （S、M）2m50cm、（L、XL）3m10cm
- 裏布A（木綿・身頃分）＝112cm幅
  （S、M）1m50cm、（L、XL）1m60cm
- 裏布B（ストライプの木綿・袖分）＝92cm幅
  （S、M）90cm、（L、XL）1m10cm
- スレキ（袋布分）＝105cm幅40cm
- 接着芯＝90cm幅90cm
- ボタンの大きさ＝3.0cm8個（前あき）、2個（内ボタン）、1.8cm5個（袖口タブ、チンウォーマー）
- テープ＝0.9cm幅90cm

裁合せ図（Lサイズの場合）

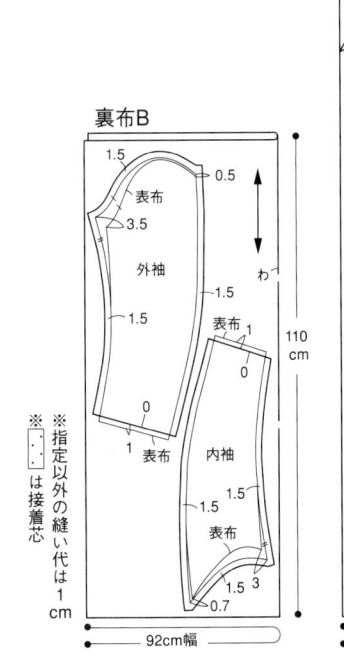

2 ポケットを作る

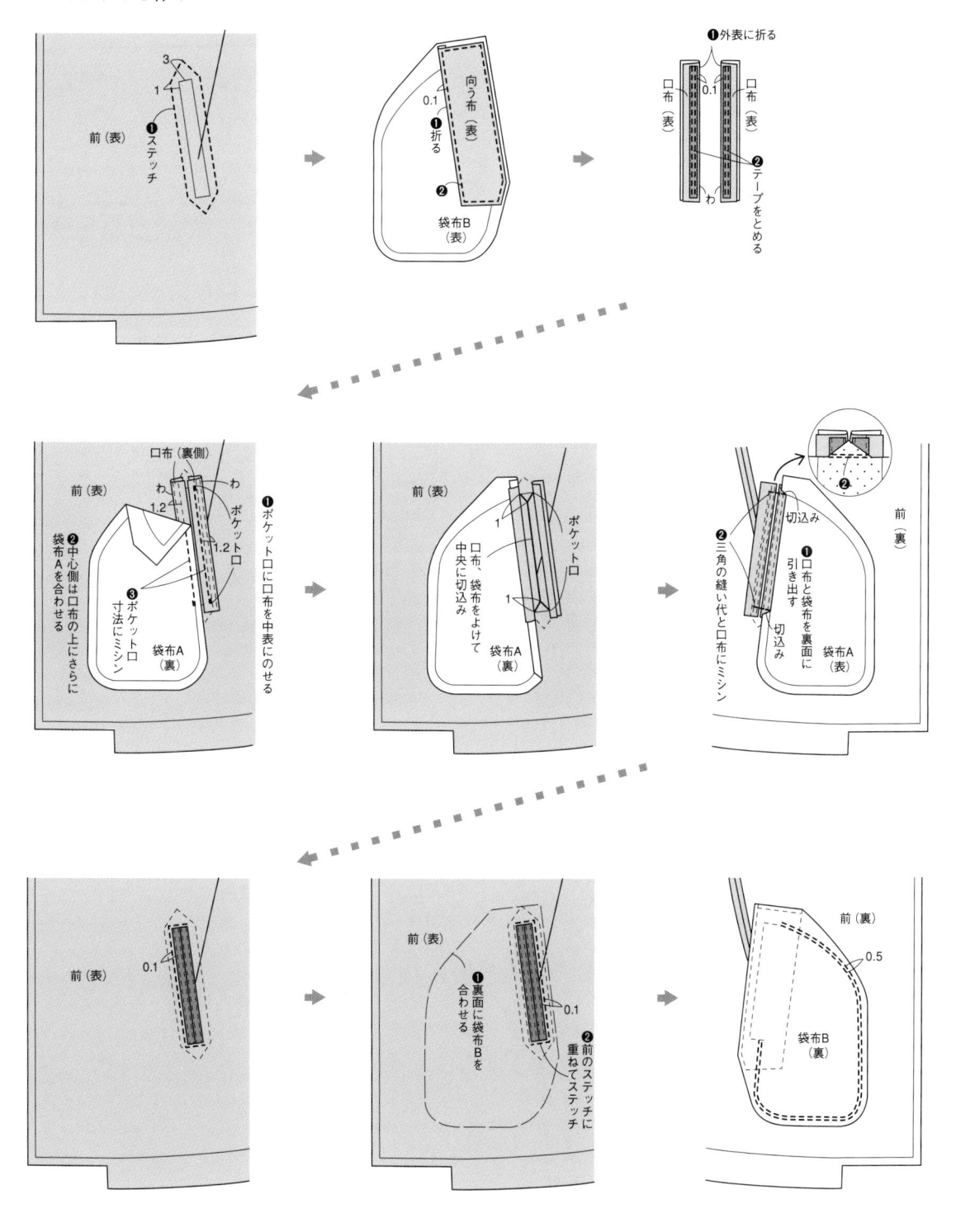

no.8 ピーコート >page26

◆使用パターン（B面）表衿・裏衿・台衿・外袖・内袖・口布・当て布・前見返し・前・後ろ・肩章・袋布A・袋布B・チンウォーマー・肩章

◆本縫い順序

1. ダーツを縫う
   ※62ページ参照。ダーツは切り込まずに後ろ側に片返し。
2. ボタン位置にステッチをかける
3. 箱ポケットを作る
4. 後ろ中心を縫い、ベンツを作る
   ※4は59ページ参照
5. 前後身頃を縫い合わせる
   ※ステッチをかけずに2枚一緒にロックミシン
6. 衿をつける
   ※5、6は63ページ参照
7. 衿外回り、前端を縫う
8. 表に返して整える
   ※7、8は64ページ参照
9. 袖を作る
10. 肩章を作る
11. 袖をつける
    ※9〜11は60ページ参照
12. 衿外回り、前端、裾にステッチをかける
13. チンウォーマーを作る
    ※74ページ参照
14. ボタンホールとボタンつけ

使用量
- 表布=120cm幅
  （S、M）3m10cm、（L、XL）3m40cm
- スレキ（袋布分）=60×40cm
- 接着芯=90cm幅1m10cm
- テープ=0.7cm幅2m10cm
- ボタンの大きさ=2.3cm10個（前あき、肩章）、1.8cm5個（内ボタン、チンウォーマー）

作り方ポイント
衿、袖、肩章はテープを縫いつけて作ります。

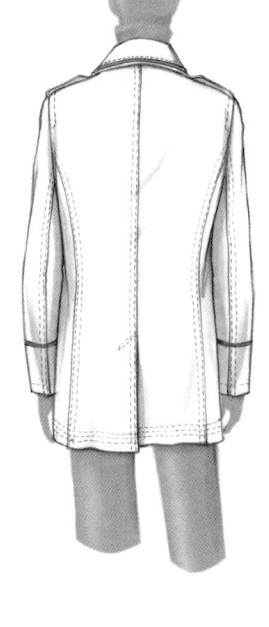

裁合せ図（Lサイズの場合）

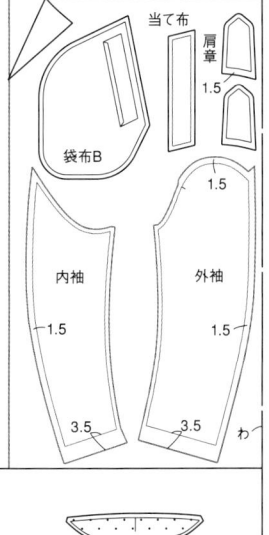

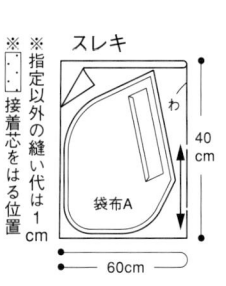

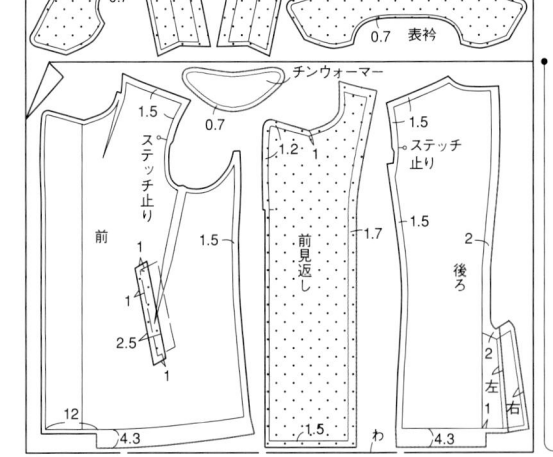

3 箱ポケットを作る

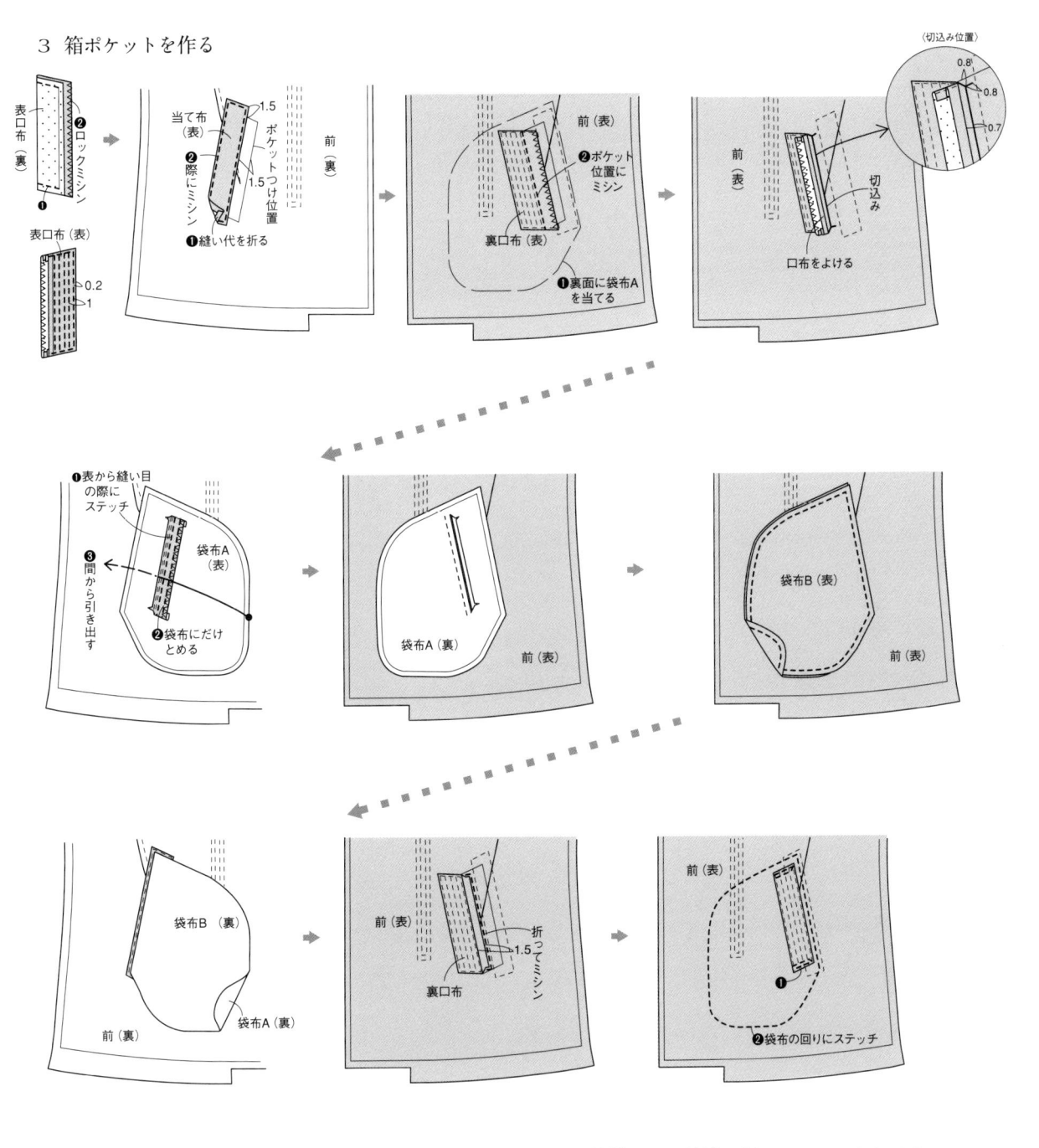

12 衿外回り、前端、裾にステッチをかける

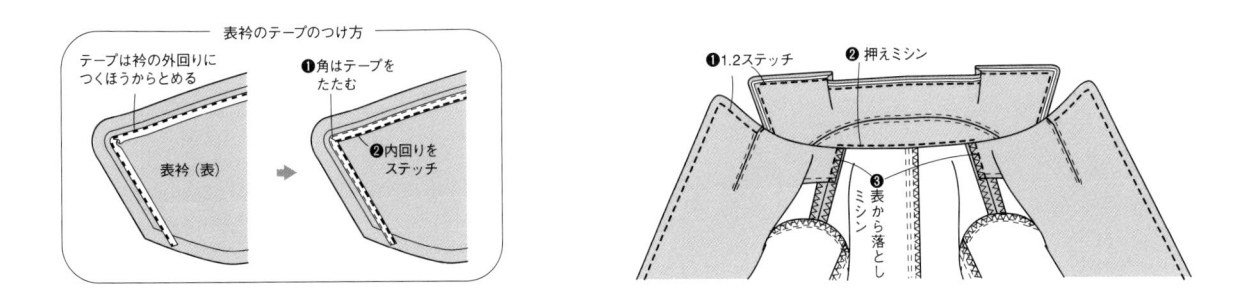

no.9 no.10

ダッフルコート >page29～31

◆使用パターン（C面）フード・フード中心布・チンウォーマー・前・前見返し・後ろ・外袖・内袖・オーバーヨーク・ポケット・フラップ・当て布・袖口タブ

◆本縫い順序

1. オーバーヨーク、ポケット、フラップ、袖口タブを作る
2. ポケット、フラップをつける
3. 当て布をしつけでとめる
4. 後ろ中心、肩を縫う
5. オーバーヨークをつける
6. 前後身頃を縫い合わせる
7. フードを作る
8. フードをつけて前端、裾を縫う
9. 袖を作る
10. 袖をつける
11. チンウォーマーを作り、ボタン、トグルボタンをつける

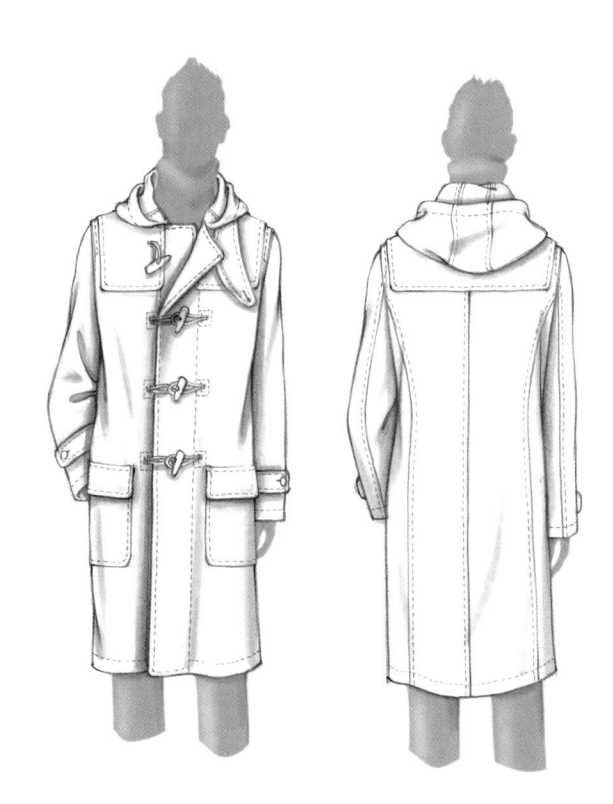

使用量
- 表布＝148cm幅
  （S、M）2m30cm、（L、XL）2m50cm
- 裏布＝90cm幅 50cm
- 接着芯＝90cm幅 1m
- バイアステープ（両折りタイプ）＝1.2cm幅 15m
- 麻ひも＝太さ7mmのもの 1m
- トグルボタンの大きさ＝6×1.5cm 4個
- ボタンの大きさ＝2.0cm 2個(袖口タブ)、1.8cm 2個(チンウォーマー)

裁合せ図（Lサイズの場合）

※指定以外の縫い代は1cm
※　　　は接着芯

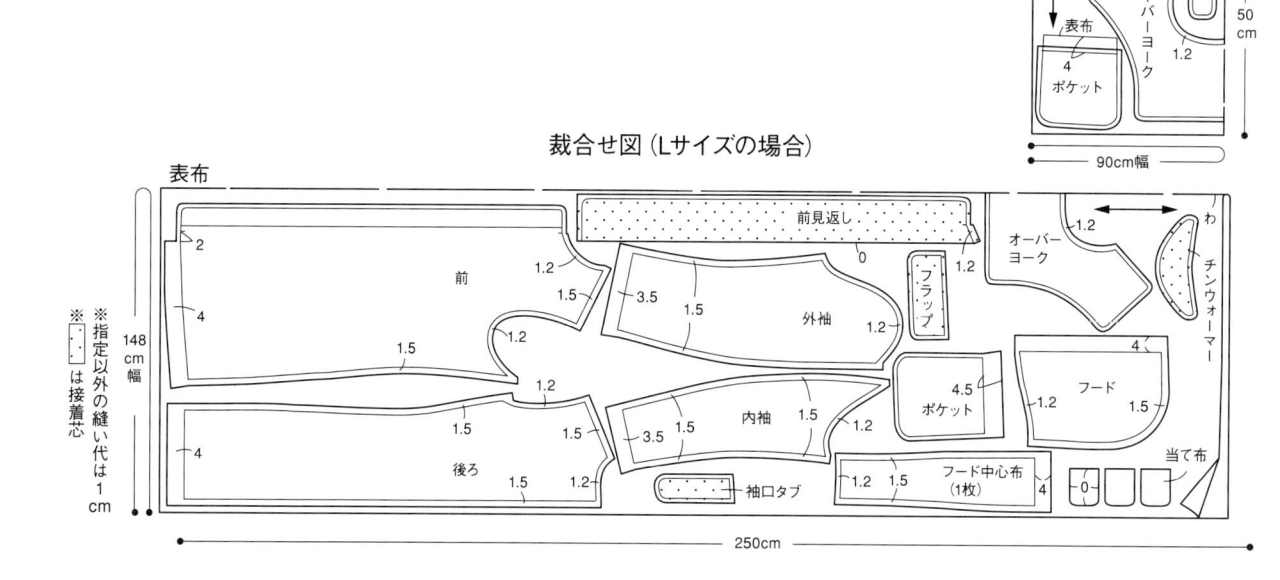

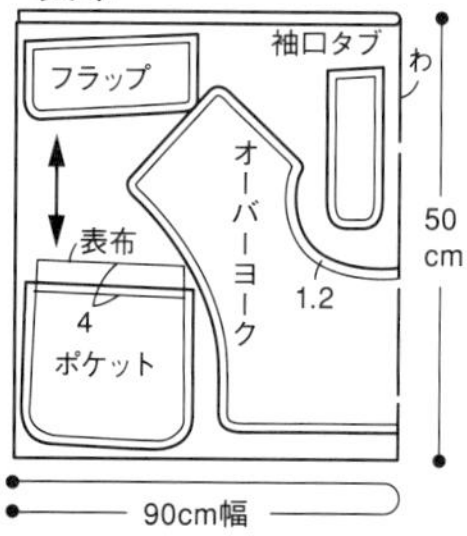

1 オーバーヨーク、ポケット、フラップ、袖口タブを作る

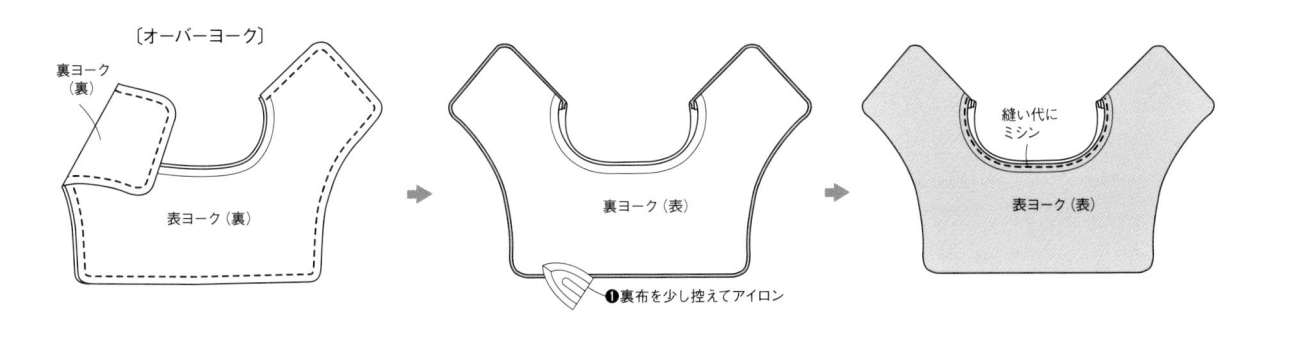

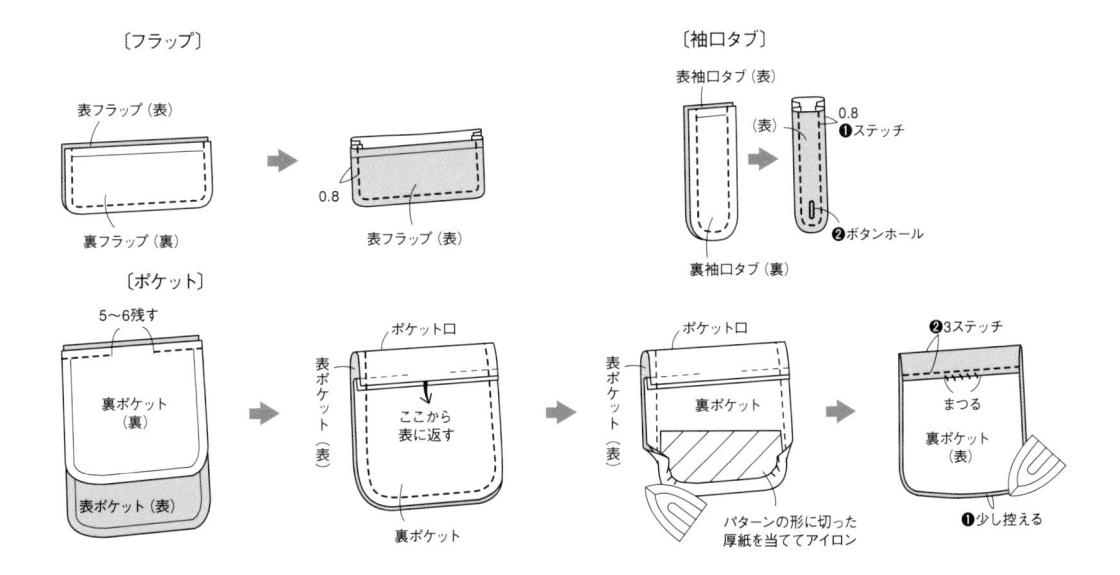

2 ポケット、フラップをつける

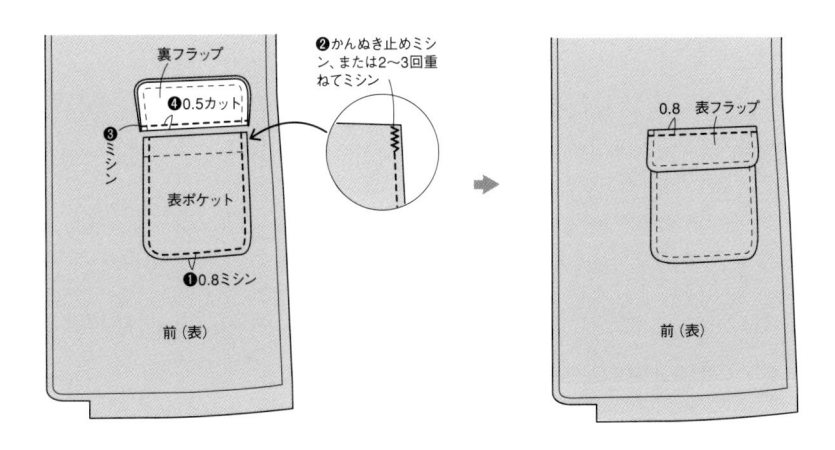

3 当て布をしつけでとめる

4 後ろ中心、肩を縫う

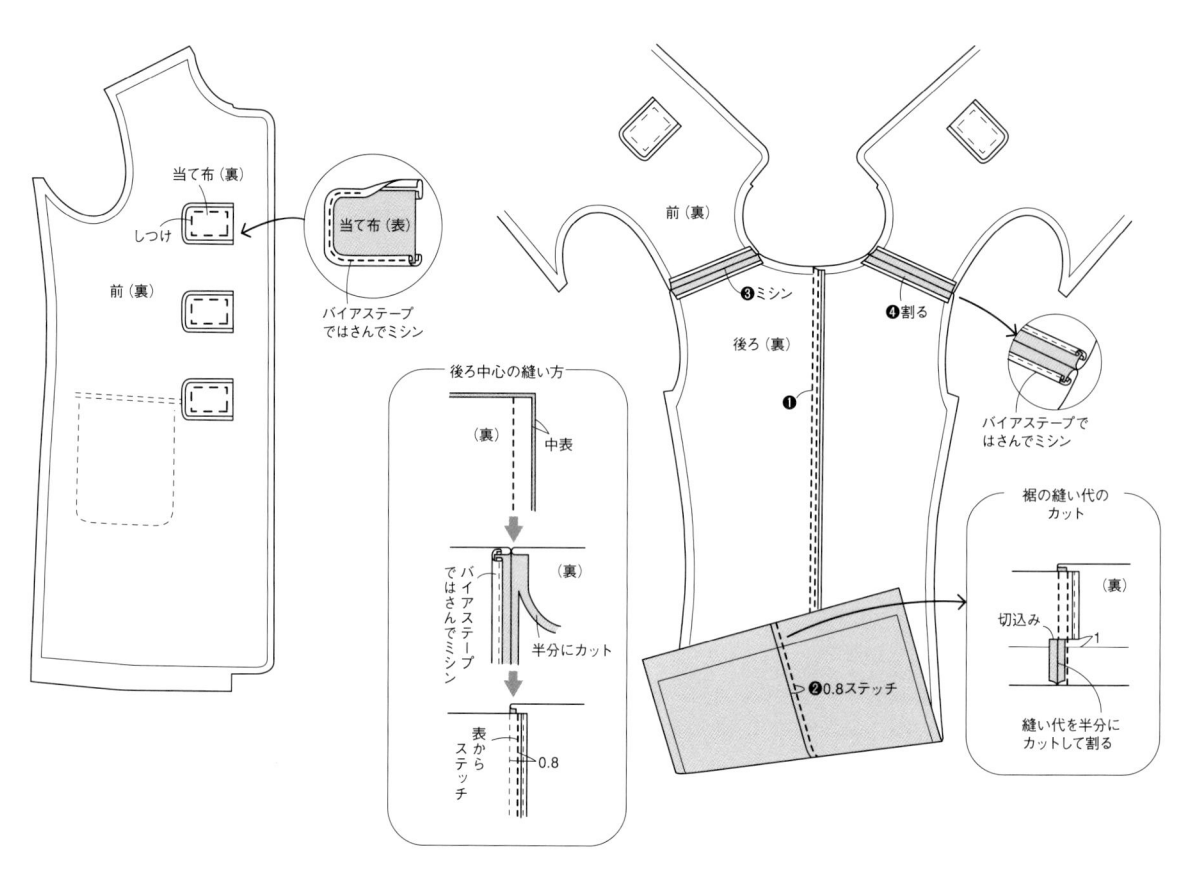

5 オーバーヨークをつける

6 前後身頃を縫い合わせる

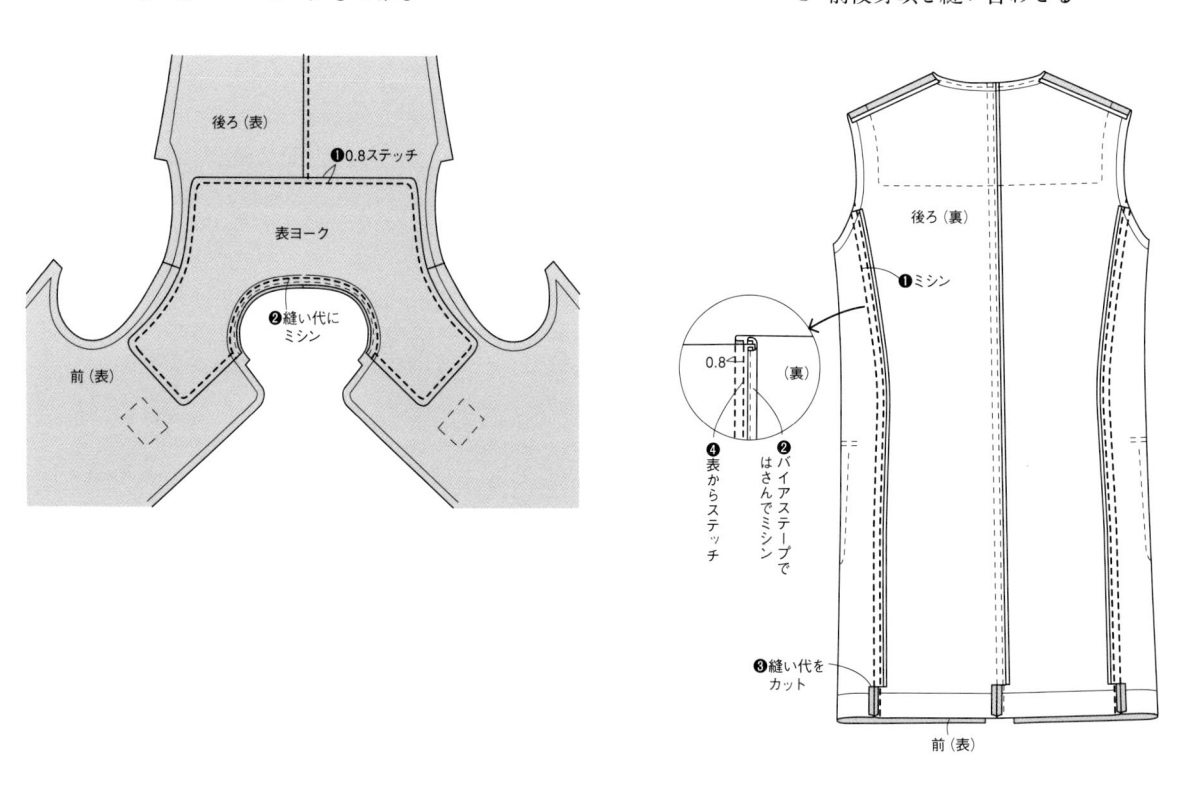

7 フードを作る

- フード中心布（裏）
- フード（裏）
- ❶
- ❹割る
- ❸切込み
- バイアステープ
- （裏）
- ❷ 0.8
- ❺
- バイアステープ
- フード（表）
- 3

8 フードをつけて前端、裾を縫う

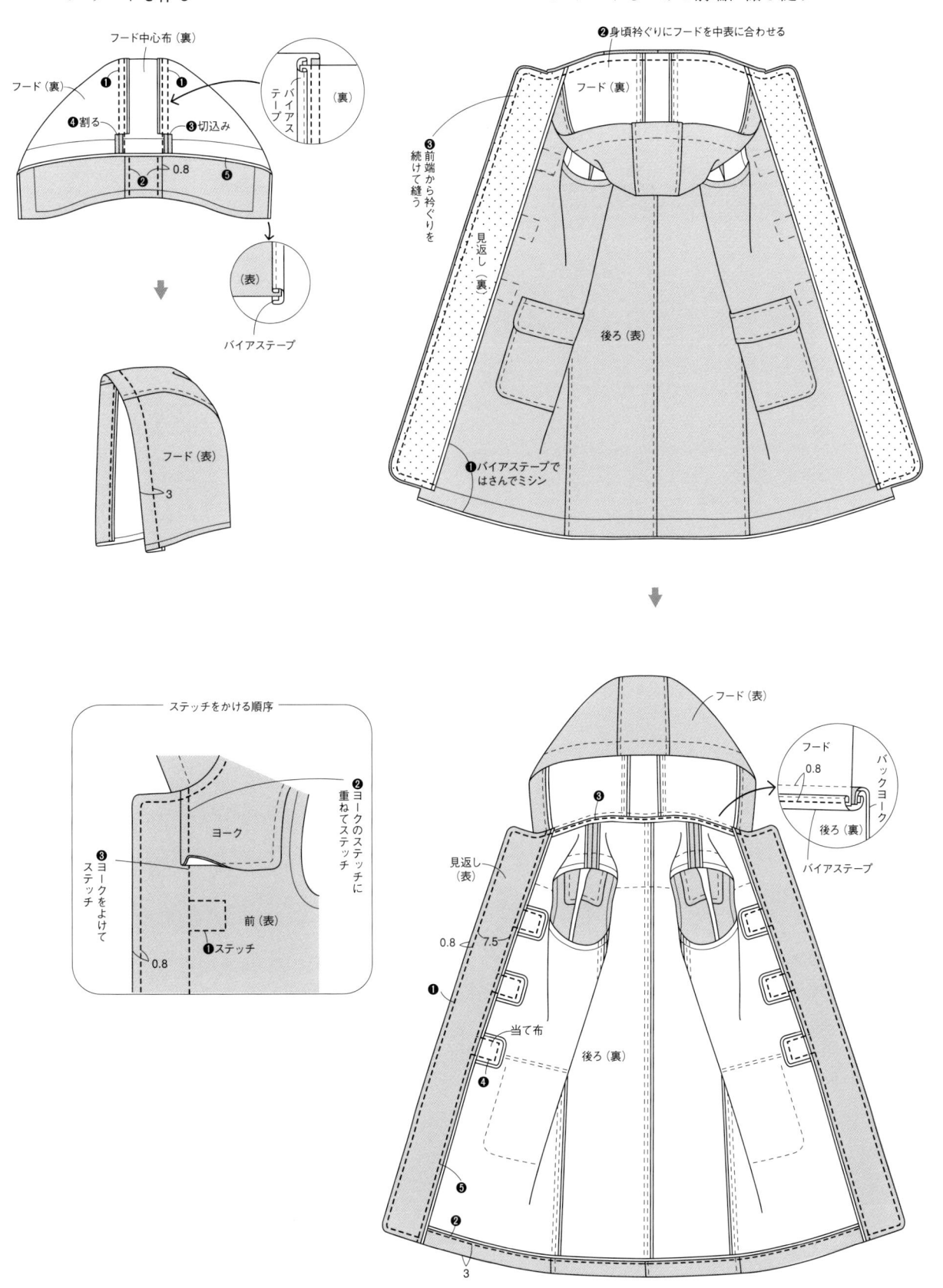

- ❷身頃衿ぐりにフードを中表に合わせる
- フード（裏）
- ❸前端から衿ぐりを続けて縫う
- 見返し（裏）
- 後ろ（表）
- ❶バイアステープではさんでミシン

- ステッチをかける順序
- ❷ヨークのステッチに重ねてステッチ
- ヨーク
- ❸ヨークをよけてステッチ
- 前（表）
- ❶ステッチ
- 0.8

- フード（表）
- ❸
- 見返し（表）
- 0.8　7.5
- ❶
- 当て布
- ❹
- 後ろ（裏）
- ❺
- ❷
- 3
- フード
- 0.8
- バックヨーク
- 後ろ（裏）
- バイアステープ

9 袖を作る

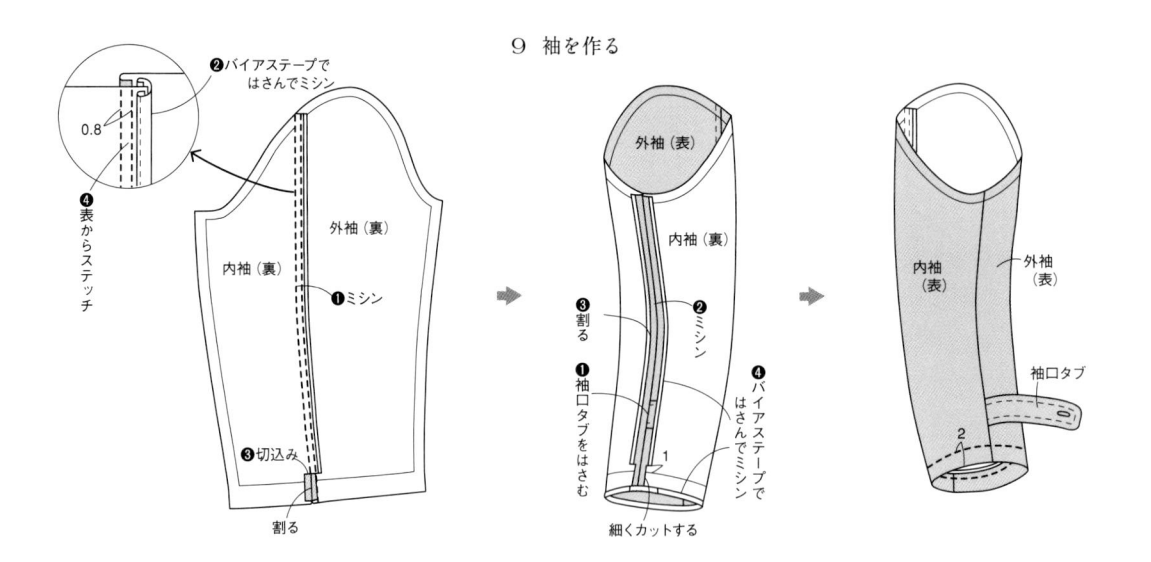

- ❷ バイアステープではさんでミシン
- 0.8
- ❹ 表からステッチ
- 内袖（裏）
- 外袖（裏）
- ❶ ミシン
- ❸ 切込み
- 割る
- 外袖（表）
- 内袖（裏）
- ❸ 割る
- ❷ ミシン
- ❶ 袖口タブをはさむ
- ❹ バイアステープではさんでミシン
- 細くカットする
- 内袖（表）
- 外袖（表）
- 袖口タブ
- 2

10 袖をつける

- ❷ 2枚一緒にバイアステープではさんでミシン
- ❶ 袖つけミシン
- 袖（裏）
- 前（裏）
- 0.8 ステッチ
- 袖（表）
- 前（表）

11 チンウォーマーを作り、ボタン、トグルボタンをつける

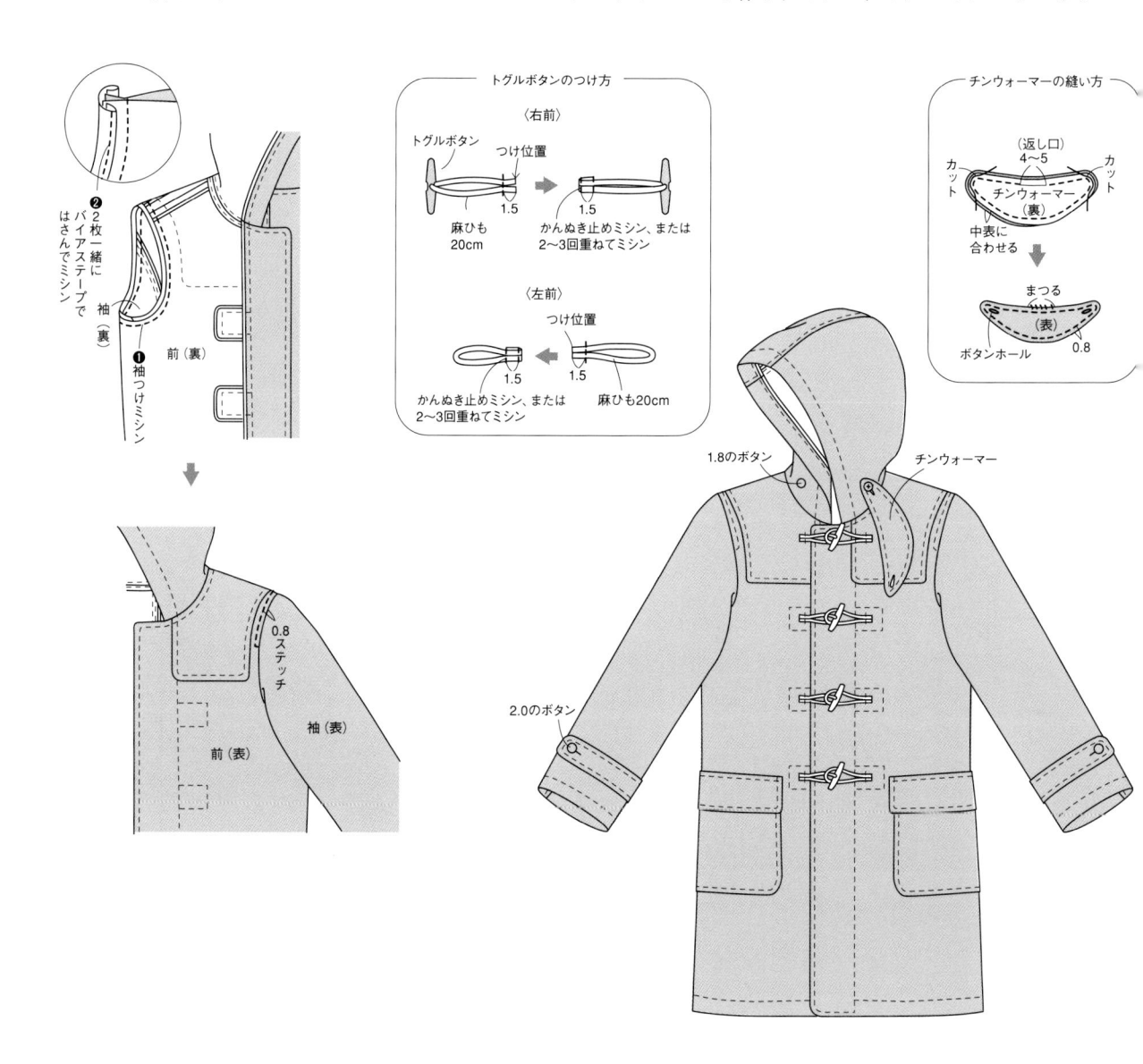

〈トグルボタンのつけ方〉

〈右前〉
- トグルボタン
- つけ位置
- 麻ひも20cm
- 1.5
- かんぬき止めミシン、または2〜3回重ねてミシン
- 1.5

〈左前〉
- つけ位置
- 1.5
- 1.5
- かんぬき止めミシン、または2〜3回重ねてミシン
- 麻ひも20cm

〈チンウォーマーの縫い方〉
- （返し口）4〜5
- カット
- カット
- チンウォーマー（裏）
- 中表に合わせる
- まつる
- （表）
- ボタンホール
- 0.8

- 1.8のボタン
- チンウォーマー
- 2.0のボタン

no.11

ダッフルコート >page32

◆使用パターン（C面）フード・フード中心布・チンウォーマー・前・前見返し・後ろ・外袖・内袖・袖口タブ・オーバーヨーク・ポケット・フラップ

◆本縫い順序

1. オーバーヨーク、ポケット、フラップ、袖口タブを作る
2. ポケット、フラップをつける
3. 後ろ中心、肩を縫う
4. オーバーヨークをつける
5. 前後身頃を縫い合わせる
6. フードを作る
7. フードをつけて前端、裾を縫う
8. 袖を作る
9. 袖をつける
10. チンウォーマーを作り、ボタン、前あきのテープをつける

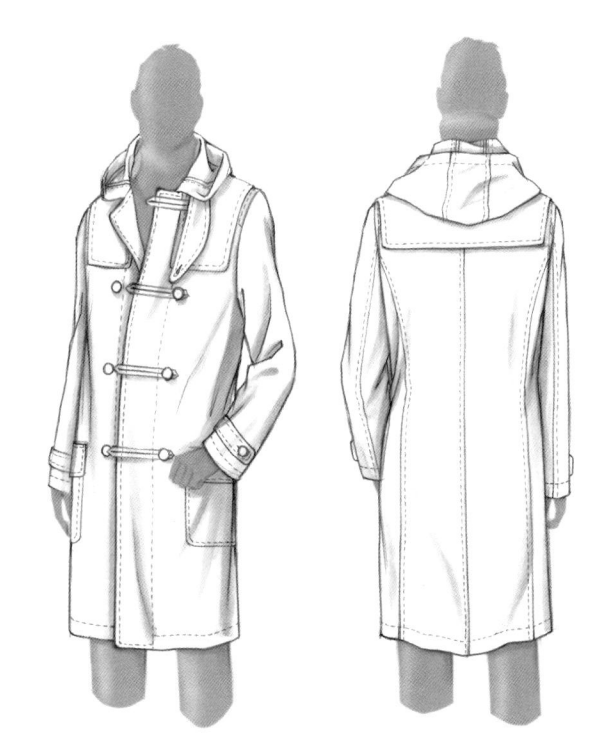

使用量
- 表布 =90cm幅
  （S、M）3m80cm、（L、XL）4m10cm
- 裏布 = 90cm幅 50cm
- バイアステープ（両折りタイプ）=
  1.2cm幅 15m
- ボタンの大きさ=2.1cm10個（前あき、袖口タブ）、1.8cm2個（チンウォーマー）

作り方ポイント
使用パターンはno.9、no.10と同様です。詳しい作り方は70～74ページを参照してください。

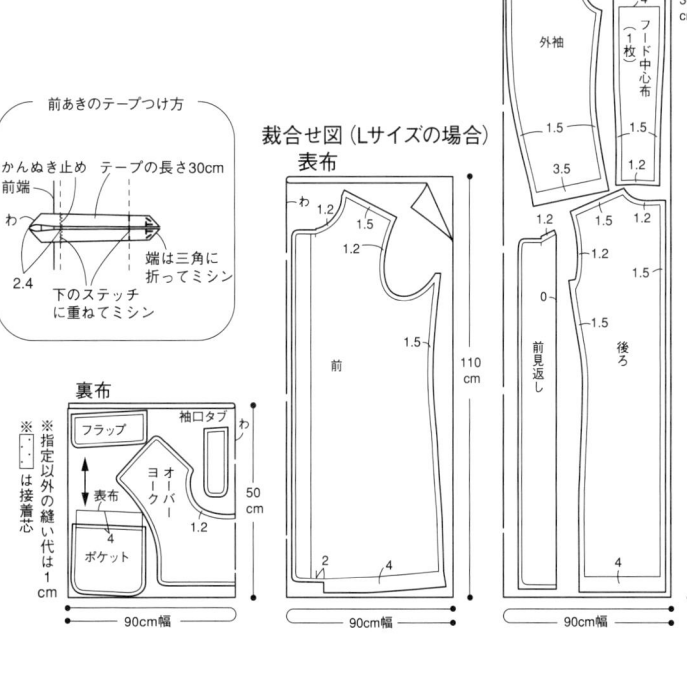

no.12 no.13

ステンカラーコート　>page36〜39

◆使用パターン（D面）表衿・裏衿・台衿・前・後ろ・後ろ外袖・前外袖・内袖・袖口タブ・口布・前見返し・比翼布・向う布・当て布・袋布A・袋布B・内ポケット玉縁布・内ポケット袋布A・B・内ポケット向う布

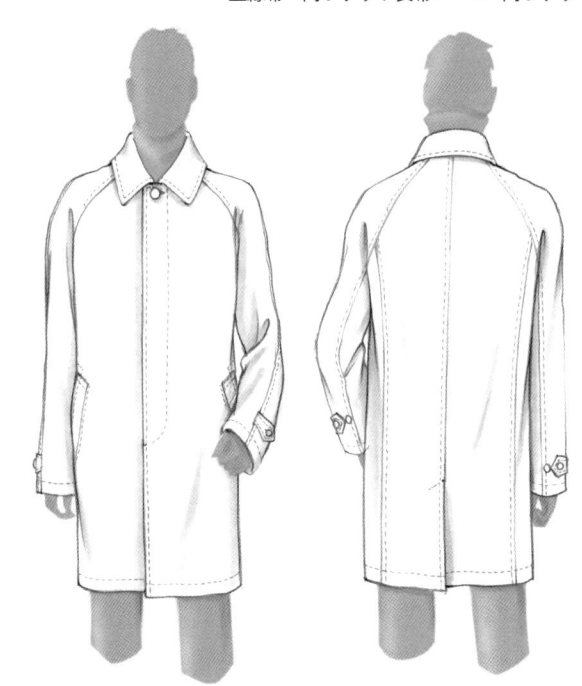

◆本縫い順序

1. 箱ポケットを作る
2. 前見返しと前裏布を縫い合わせる
3. 左裏前身頃に内ポケットを作る
4. 左前端に比翼布をつける
5. 後ろ中心を縫い、ベンツを作る
6. 脇を縫う
7. 表布の袖を縫う
8. 表身頃に袖をつける
9. 裏布の後ろ中心、脇を縫う
10. 裏袖を縫い、裏身頃につける
11. 衿を縫ってつける
12. 衿外回り、前端、袖口を縫う
13. 表に返してステッチをかける
14. 裾の始末をする
15. 糸ループ、ボタンホール、ボタンつけ

使用量
- 表布＝142cm幅
  （S、M）2m30cm、（L、XL）2m70cm
- 裏布＝90cm幅
  （S、M）3m10cm、（L、XL）3m30cm
- 接着芯＝90cm幅 1m
- 接着テープ＝1.5cm幅 1m60cm
- ボタンの大きさ 1.5cm1個（内ポケット）、1.8cm4個（袖口タブ）、2.1cm1個（第1ボタン）、2.3cm3個（比翼あき）

裁合せ図（Lサイズの場合）

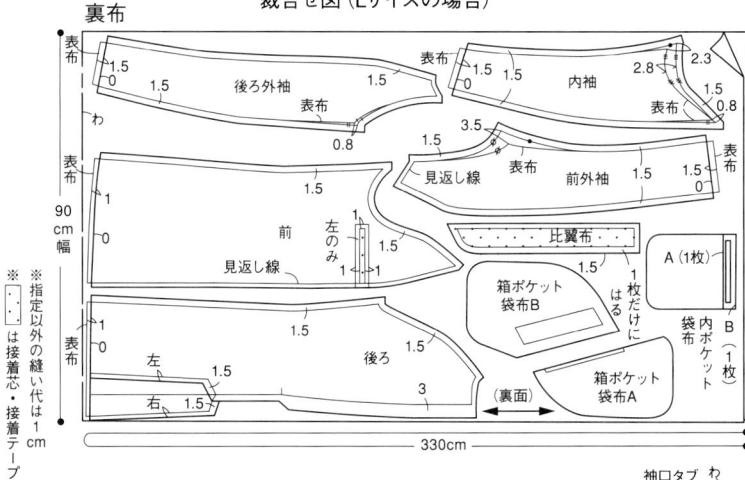

※指定以外の縫い代は1cm
※ ┊┊┊ は接着芯・接着テープ

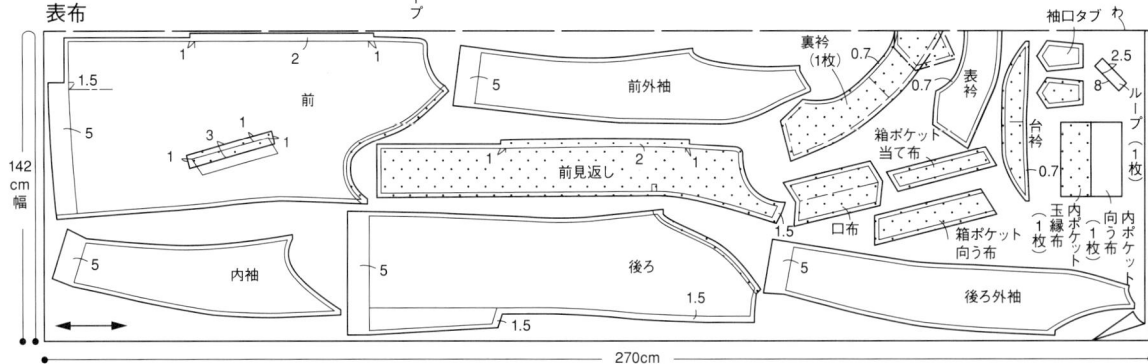

1 箱ポケットを作る

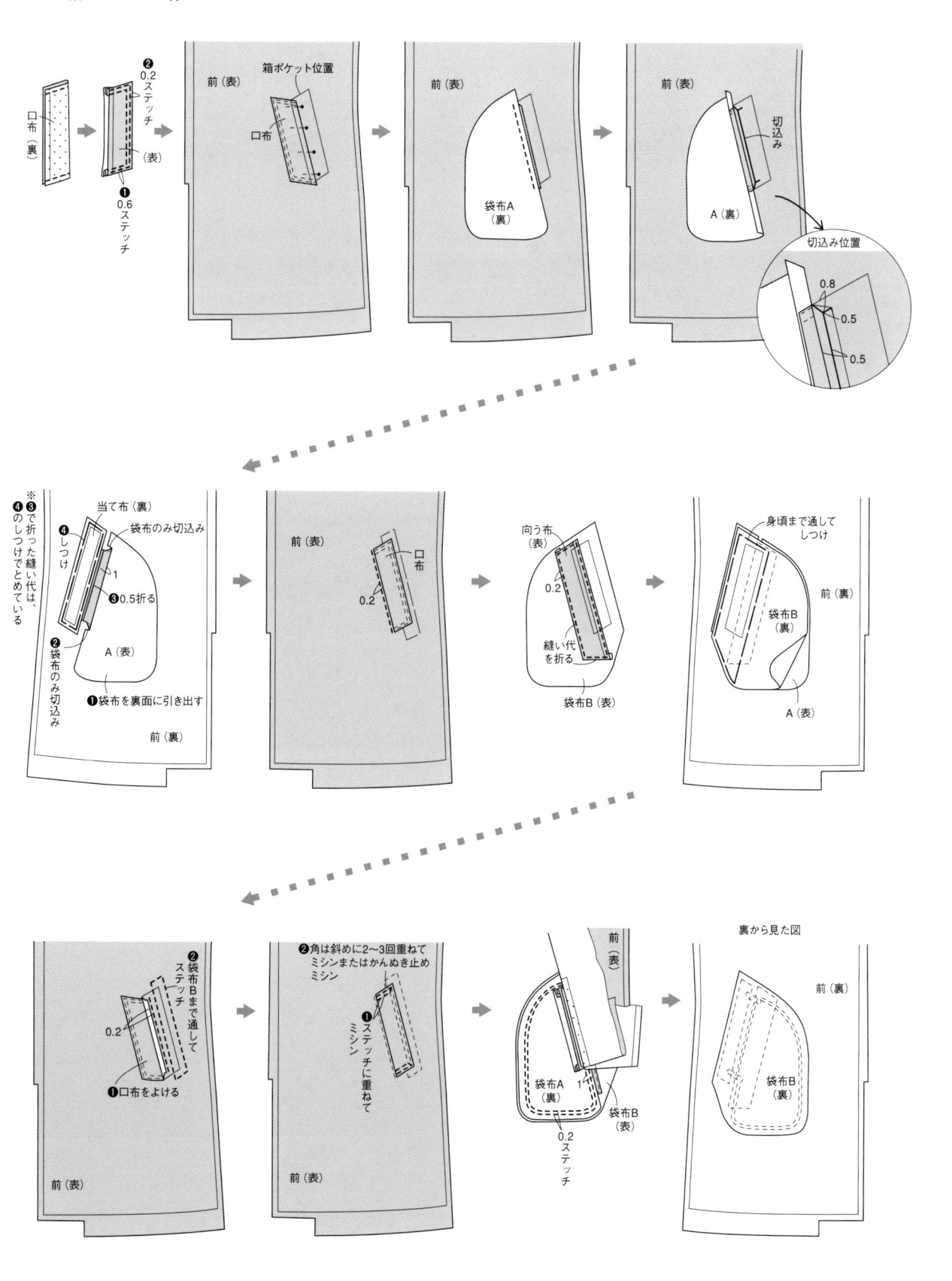

口布（裏）
❷0.2ステッチ
❶0.6ステッチ
（表）
前（表）
箱ポケット位置
口布
前（表）
袋布A（裏）
前（表）
切込み
切込み位置
0.8
0.5
0.5

当て布（裏）
袋布のみ切込み
❹しつけ
1
❸0.5折る
❷袋布のみ切込み
❶袋布を裏面に引き出す
A（表）
前（裏）
※❸で折った縫い代は、❹のしつけでとめている

前（表）
口布
0.2

向う布（表）
0.2
縫い代を折る
袋布B（表）

身頃まで通してしつけ
前（裏）
袋布B（裏）
A（表）

❷袋布Bまで通してステッチ
0.2
❶口布をよける
前（表）

❷角は斜めに2～3回重ねてミシンまたはかんぬき止めミシン
❶ステッチに重ねてミシン
前（表）

前（表）
袋布A（裏）
1
袋布B（表）
0.2ステッチ

裏から見た図
前（裏）
袋布B（裏）

2　前見返しと前裏布を縫い合わせる

3　左裏前身頃に内ポケットを作る

4 左前端に比翼布をつける

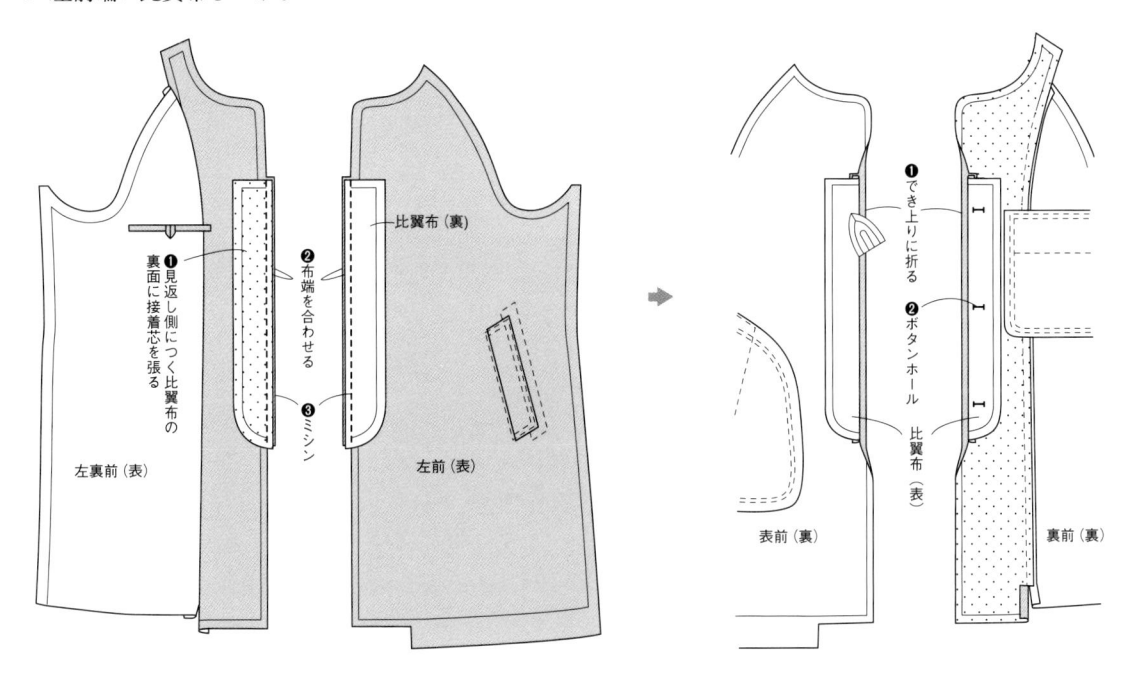

5 後ろ中心を縫い、ベンツを作る

6 脇を縫う

7 表布の袖を縫う

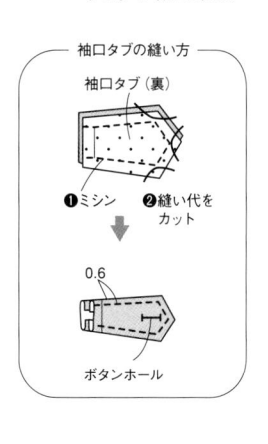

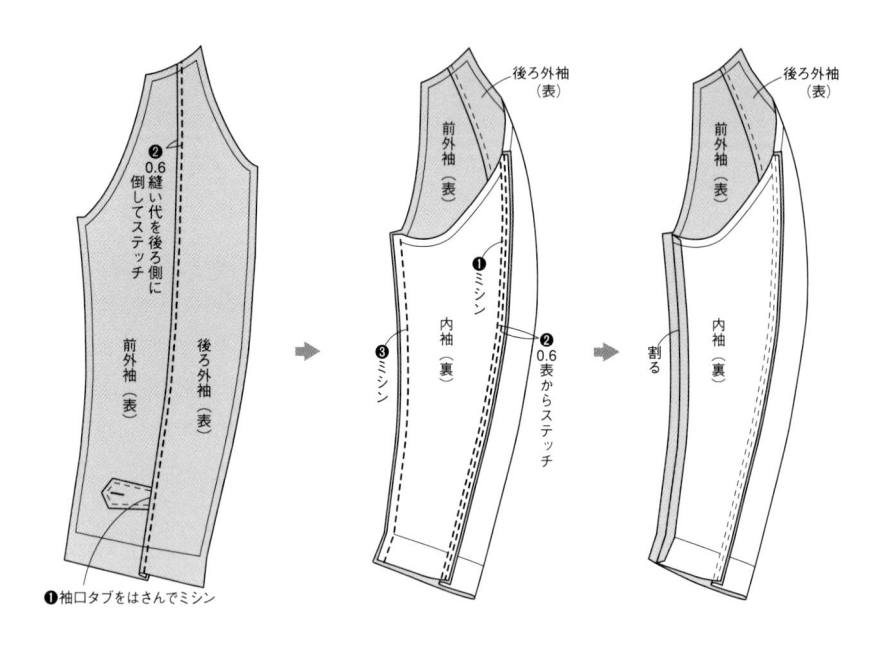

袖口タブの縫い方

- 袖口タブ（裏）
- ❶ミシン
- ❷縫い代をカット
- 0.6
- ボタンホール

- ❷0.6 縫い代を後ろ側に倒してステッチ
- 前外袖（表）
- 後ろ外袖（表）
- ❶袖口タブをはさんでミシン

- 後ろ外袖（表）
- 前外袖（表）
- ❶ミシン
- ❷0.6 表からステッチ
- ❸ミシン
- 内袖（裏）

- 後ろ外袖（表）
- 前外袖（表）
- 内袖（裏）
- 割る

8 表身頃に袖をつける

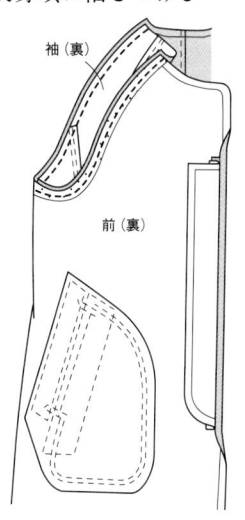

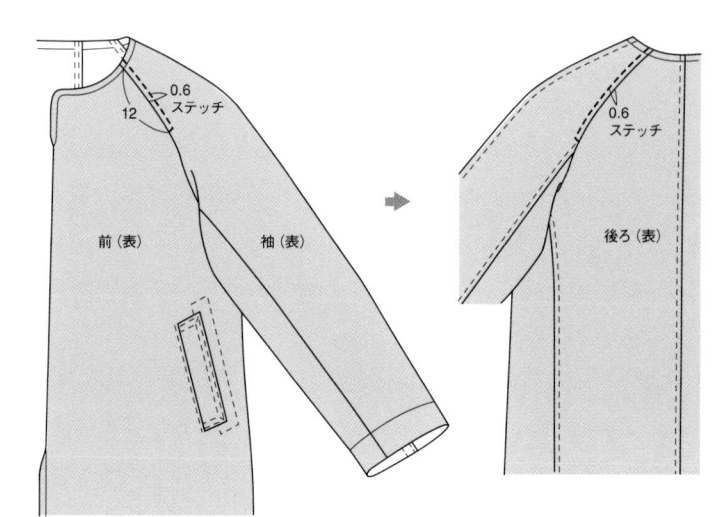

- 袖（裏）
- 前（裏）

- 0.6 ステッチ
- 12
- 前（表）
- 袖（表）

- 0.6 ステッチ
- 後ろ（表）

9 裏布の後ろ中心、脇を縫う

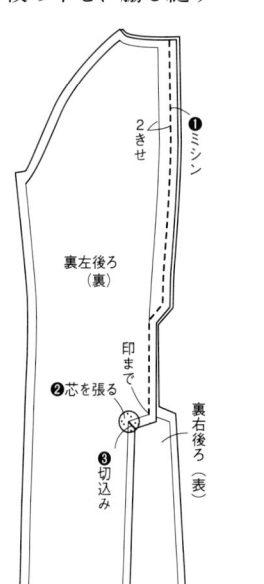

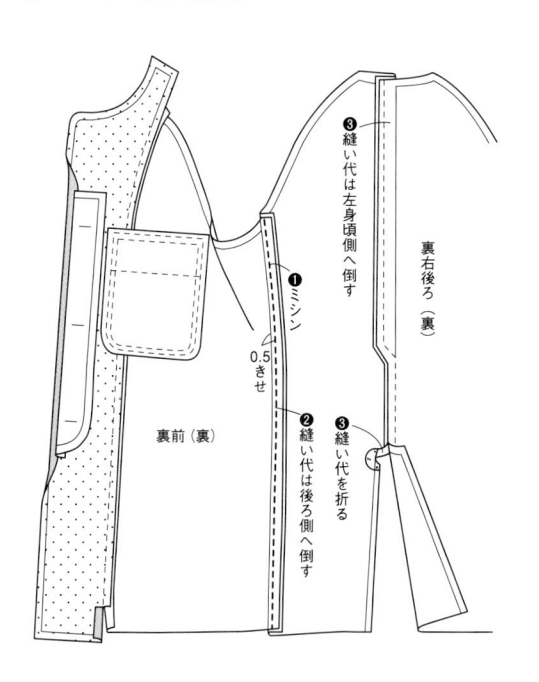

- ❶ミシン
- 2きせ
- 裏左後ろ（裏）
- ❷芯を張る
- 印まで
- ❸切込み
- 裏右後ろ（表）

- ❸縫い代は左身頃側へ倒す
- 裏右後ろ（裏）
- ❶ミシン
- 0.5 きせ
- 裏前（裏）
- ❷縫い代を折る
- ❸縫い代は後ろ側へ倒す

10 裏袖を縫い、裏身頃にをつける

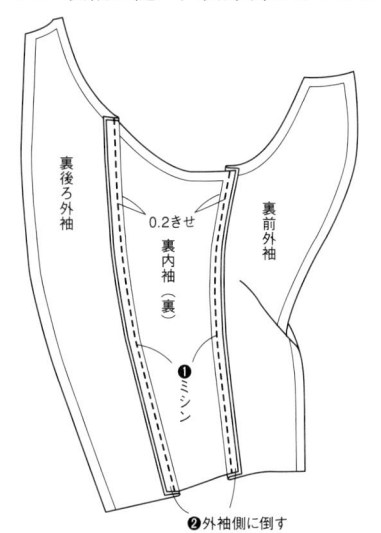

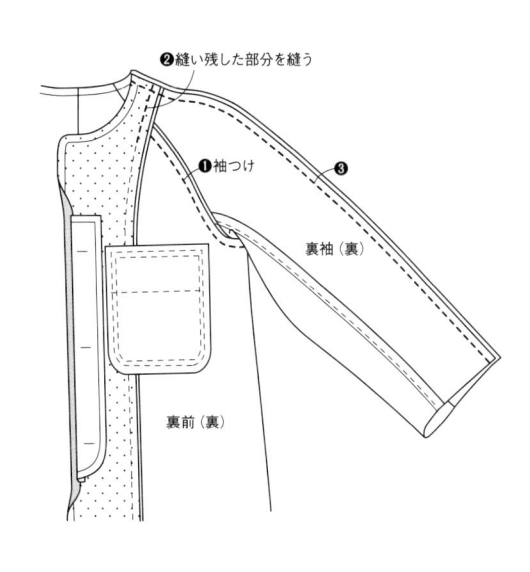

- 裏後ろ外袖
- 裏前外袖
- 裏内袖（裏）
- 0.2きせ
- ❶ミシン
- ❷外袖側に倒す
- ❶袖つけ
- ❷縫い残した部分を縫う
- ❸
- 裏袖（裏）
- 裏前（裏）

11 衿を縫ってつける

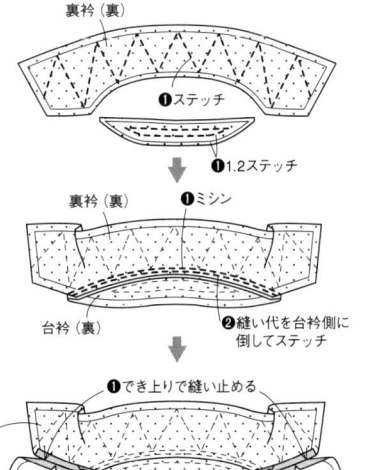

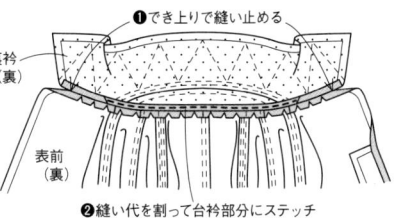

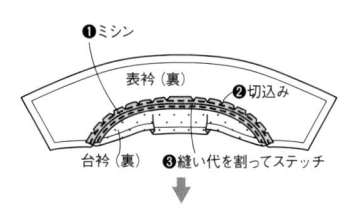

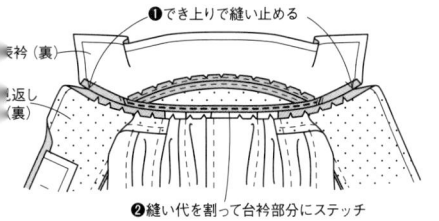

- 裏衿（裏）
- ❶ステッチ
- ❶1.2ステッチ
- 裏衿（裏）
- ❶ミシン
- 台衿（裏）
- ❷縫い代を台衿側に倒してステッチ
- ❶でき上がりで縫い止める
- 裏衿（裏）
- 表前（裏）
- ❷縫い代を割って台衿部分にステッチ

- ❶ミシン
- 表衿（裏）
- ❷切込み
- 台衿（裏）
- ❸縫い代を割ってステッチ
- ❶でき上がりで縫い止める
- 衿（裏）
- 返し（裏）
- ❷縫い代を割って台衿部分にステッチ

12 衿外回り、前端、袖口を縫う

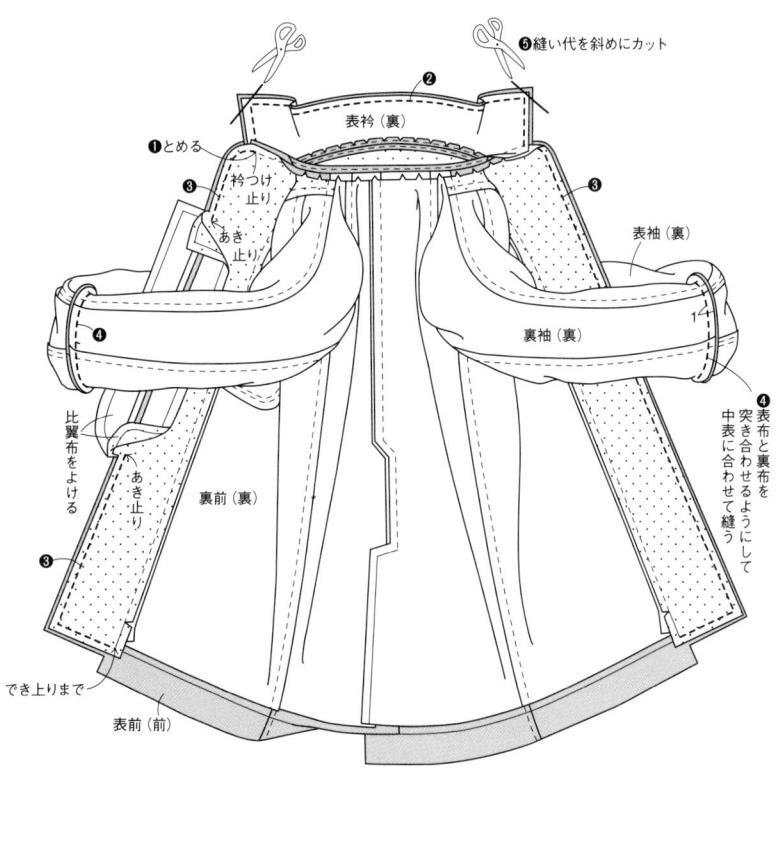

- ❺縫い代を斜めにカット
- ❷
- 表衿（裏）
- ❶とめる
- 衿つけ止り
- あき止り
- ❸
- 表袖（裏）
- ❹
- 比翼布をよける
- あき止り
- 裏前（裏）
- 裏袖（裏）
- ❹表布と裏布を突き合わせるようにして中表に合わせて縫う
- でき上がりまで
- 表前（前）

81

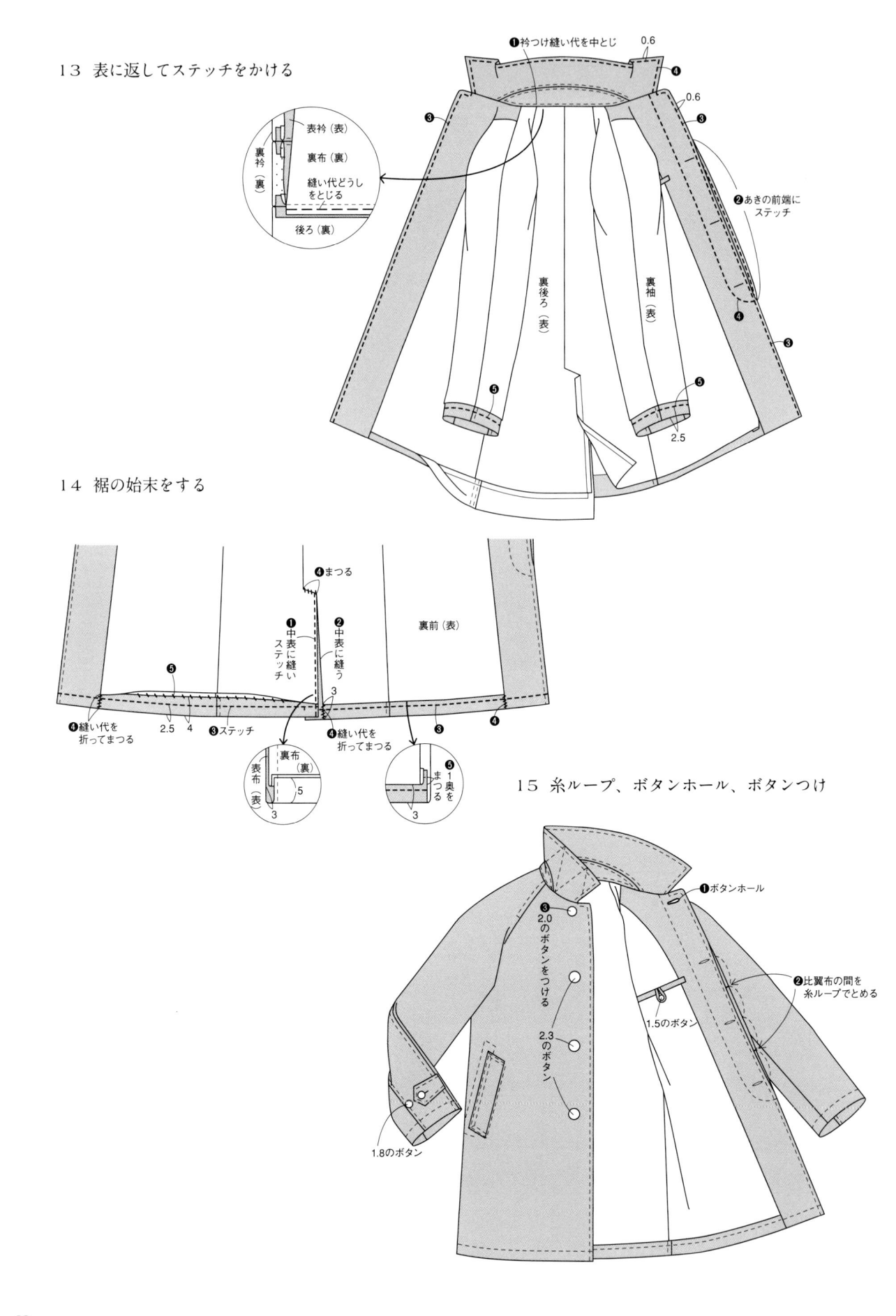

13 表に返してステッチをかける

- ❶衿つけ縫い代を中とじ
- 0.6
- ❹
- 0.6
- ❸
- 表衿（表）
- 裏布（裏）
- 縫い代どうしをとじる
- 裏衿（裏）
- 後ろ（裏）
- ❸
- ❷あきの前端にステッチ
- 裏後ろ（表）
- 裏袖（表）
- ❺
- ❹
- ❸
- ❺
- 2.5

14 裾の始末をする

- ❹まつる
- ❶中表に縫いステッチ
- ❷中表に縫う
- 裏前（表）
- ❺
- ❹縫い代を折ってまつる
- 2.5　4
- ❸ステッチ
- ❹縫い代を折ってまつる
- ❸
- ❹
- 表布（裏）
- 裏布（裏）
- 5
- 3
- ❺1奥をまつる
- 3

15 糸ループ、ボタンホール、ボタンつけ

- ❶ボタンホール
- ❸2.0のボタンをつける
- 2.3のボタン
- ❷比翼布の間を糸ループでとめる
- 1.5のボタン
- 1.8のボタン

● 着丈と袖丈の調節のしかた

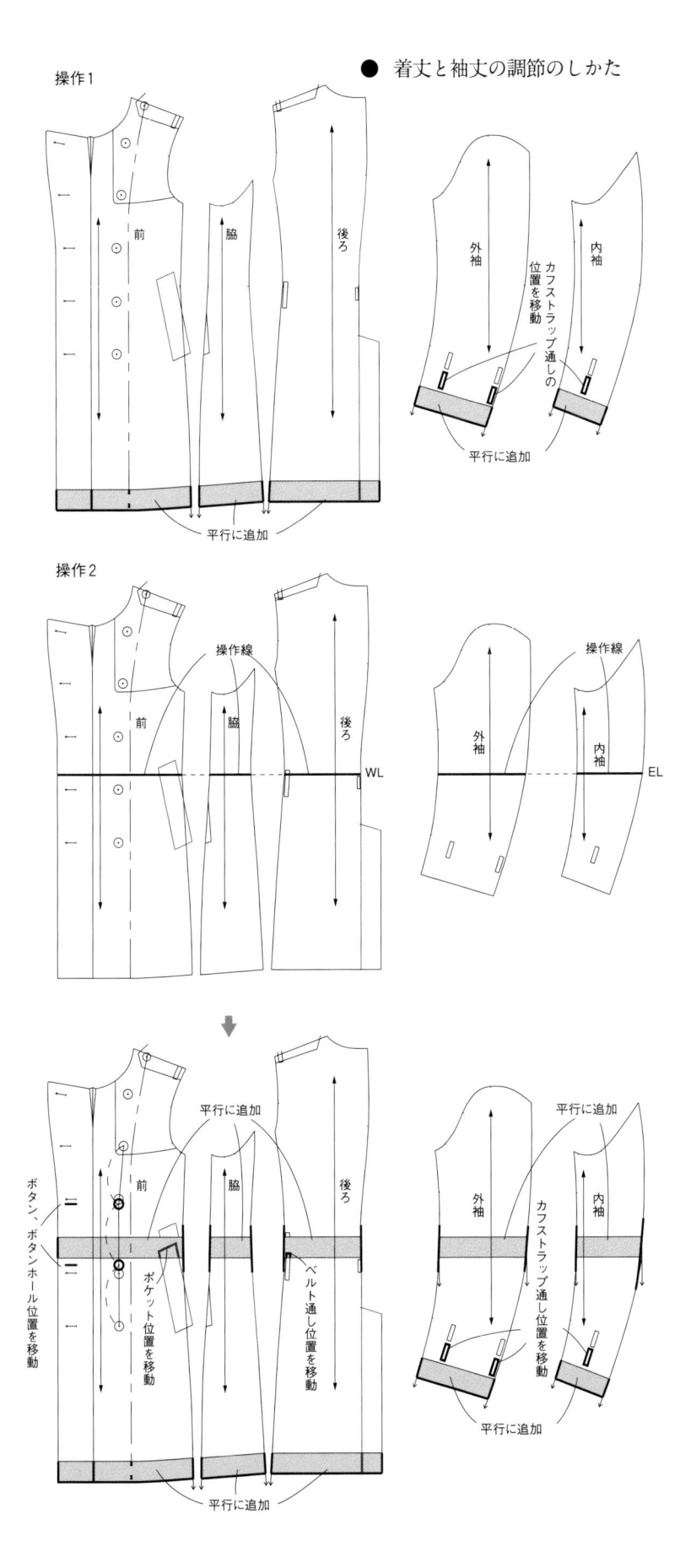

操作1

操作2

（図は、no.1のトレンチコートを例に、着丈と袖丈をのばす場合です）

まず、選んだサイズのパターンを写します。着丈は裾線で、袖丈は袖口線で5cmくらいを限度に平行に追加します（操作1）。

それ以上の寸法を操作する場合は、着丈は裾線とウエストライン（WL）、袖丈は袖口線とエルボーライン（EL）の2か所に分散します（操作2）。操作した部分は、結んでつながりよく修正します。

いずれの場合もボタン位置やポケット位置などはバランスを見てつけ直してください。特にトレンチコートやピーコートなどは、ストームフラップにかかるボタンの位置が変わらないようにしてください。

また、着丈や袖丈の操作をした場合は使用量も変わってきますので、注意しましょう。

嶋﨑隆一郎　Ryuichiro Shimazaki

文化服装学院アパレルデザイン科卒業後、"無印良品"のメンズデザインを担当。その後多くのアパレル企業のファッションディレクターやデザイナーを経て現在はレザーブランドの「Rawtus/ロウタス」とオンラインブランドの「YEllOW.」のデザイナーとして活動。また、ファッションデザイン以外にもJR東日本、JR九州、日本郵便、NISSANなどの企業制服のデザインも数多く手掛け、ミラノ万博の日本館アテンダントコスチュームのデザインも手掛ける。そのデザインの範囲はファッションだけにとどまらずグラフィックデザイナーとしても活動している。

Rawtus : https://rawtus.com/　　YEllOW. : https://yellow-web.jp/

ブックデザイン	阪戸美穂
撮影	田辺わかな　p.40〜43は藤本 毅（文化出版局）
パターン製作	新地祐次（COTTON TAIL）、上野和博
縫製協力	服部アパレル　スペディーレ
作り方解説	百目鬼尚子
イラスト	岡本あづさ
トレース	福島知子
編集	平山伸子（文化出版局）

参考文献
『服のボディフィッター実践講座』児玉千恵子著（チャネラー）
『メンズファッション大全』吉村誠一著（繊研新聞社）
『ファッションのための繊維素材辞典』一見輝彦著（ファッション教育社）
『ファッション辞典』（文化出版局）
『新・実用服飾用語辞典』山口好文、今井啓子、藤井郁子編（文化出版局）
『ミリタリースタイルVol.2』（ワールドフォトプレス）
『きれいに縫うための基礎の基礎』水野佳子著（文化出版局）

INFORMATION
オカダヤ（新宿本店）　東京都新宿区新宿 3-23-17　tel. 03-3352-5411
AWABEES（リースショップ）　東京都渋谷区千駄ヶ谷 3-50-11　tel. 03-5786-1600
nan.o.bacterium　東京都渋谷区千駄ヶ谷 3-1-4　tel. 03-3408-2305

男のコートの本

2008年11月17日　第1刷発行
2021年12月8日　第9刷発行

著　者　嶋﨑隆一郎
発行者　濱田勝宏
発行所　学校法人文化学園 文化出版局
　　　　〒151-8524 東京都渋谷区代々木 3-22-1
　　　　tel.03-3299-2489（編集）
　　　　tel.03-3299-2540（営業）
印刷・製本所　株式会社文化カラー印刷

©Ryuichiro Shimazaki 2008 Printed in Japan
本書の写真、カット及び内容の無断転載を禁じます。

・本書のコピー、スキャン、デジタル化等の無断複製は著作権法上での例外を除き、禁じられています。
・本書を代行業者等の第三者に依頼してスキャンやデジタル化をすることは、たとえ個人や家庭内での利用でも著作権法違反になります。
・本書で紹介した作品の全部または一部を商品化、複製頒布、及びコンクールなどの応募作品として出品することは禁じられています。
・撮影状況や印刷により、作品の色は実物と多少異なる場合があります。ご了承ください。

文化出版局のホームページ http://books.bunka.ac.jp/

【好評既刊】

男のシャツの本
メンズシャツの基本型のデザインばかり、シャツにまつわる話を交えながら、布地違いを含む30点を紹介。S、M、L、XLの実物大パターン2枚つき。

ミリタリーウェアの本
ミリタリーテイストの服は日常着として世代や性別を問わず定着してきています。本書は本格的なミリタリーウェアの本として、SからLサイズまでの展開でメンズにも対応。実物大パターン2枚つき。